LA FAMILLE

OASIS
16

channelé par
*J*Robert

BERGER
POCHE

Pour l'ensemble de nos activités d'édition, nous reconnaissons avoir reçu l'aide financière du gouvernement du Canada par l'entremise du Programme d'Aide au Développement de l'Industrie de l'Édition (PADIÉ) et de la Société de Développement des Entreprises Culturelles du Québec (SODEC) dans le cadre du Programme d'aide aux entreprises du livre et à l'édition spécialisée.

16-La famille

© **Éditions Berger A.C. (format de poche)**
C.P. 48727, CSP Outremont
Montréal (Québec) Canada H2V 4T3
Téléphone : (514) 276-8855 Télécopie : (514) 276-1618
editeur@editionsberger.qc.ca • http://www.editionsberger.qc.ca

Dépôts légaux : 4e trimestre 2001
Bibliothèque nationale du Québec et du Canada
Bibliothèque nationale de Paris
Ministère de l'intérieur de France

ISBN 2-921416-39-5

Canada : Flammarion-Socadis, 350, boul. Lebeau, Saint-Laurent (Québec) Canada H4N 1W6
Téléphone : 514-331-3300; télécopie : 514-745-3282

France, Belgique : D.G. Diffusion Livres
Rue Max Planck, C.P. 734, 31683 Labège Cedex France
Téléphone : 05-61-62-70-62; télécopie : 05-61-62-95-53

Suisse : Servidis SA, 5 rue des Chaudronniers, Case postale 3663 CH-1211 Genève 3 Suisse
Téléphone : (022) 960 95 25; télécopie : (022) 776 35 27

Imprimé au Canada
1 2 3 4 5 IT 2005 2004 2003 2002 2001

La famille

Les personnes qui jouent un rôle important dans notre vie, parents, conjoints, amis, est-ce qu'on les reconnaît s'ils ont vécu avec nous dans des vies antérieures ?

Vous nous demandez si vous pouvez apprendre à reconnaître ces gens actuellement ?

Oui. Et s'ils jouent un rôle important, est-ce parce qu'on les a déjà rencontrés ?

Dans quelques cas, c'est exact. Dans d'autres, il ne s'agit que de reconnaissance au niveau de vos Âmes qui reçoivent des énergies semblables aux leurs, qui en sont au même point. Dans la majorité des cas, c'est cela. Si une Âme n'a pas réussi avec une autre Âme dans une vie, cela ne réussira pas nécessairement avec elle dans une autre vie. Dans certains cas, lorsque des Âmes ont réussi dans une vie, lorsqu'elles se sont épaulées avec des formes et qu'elles ont appris plus que dans 100 autres vies,

bien sûr qu'elles souhaitent recommencer ;
c'est même dans leur intérêt. Donc, dans ce
sens, c'est vrai.

Comment peut-on les reconnaître ?

Vous avez déjà mentionné cela dans votre
question : en sachant que vous ressentez
ces gens comme étant importants, en
sachant qu'à l'intérieur de vous il y a une
présence très forte à laquelle vous allez
tenir d'ailleurs. C'est comme cela que vous
les percevez.

*Il se peut qu'il y ait des personnes ici
que nous n'avons jamais connues aupa-
ravant ?*

Tout à fait ! Ce peut être l'un ou l'autre,
mais vous allez le ressentir. Il n'y a pas une
seule personne ici qui n'ait déjà côtoyé
quelqu'un et eu le sentiment du déjà connu.
Vous l'avez tous vécu. Certains s'y sont
attachés ; d'autres, non. Donc, tout dépend
de ce que vous voudrez en faire. Cela

pourra vous aider, ou vous pourriez passer
à côté. *(L'envol, IV, 30–05–1992)*

Pouvez-vous nous expliquer les incompatibilités de caractères entre certaines mères et leurs enfants ?

L'incompatibilité de caractères se produit
très souvent chez des formes qui sont
pareilles et qui refusent de se voir à travers
l'autre. Lorsque cela se produit, il y a une
forme de rejet, de protection de vous-même.
Nous allons expliquer cela autrement.
Prenez deux personnes qui sont pareilles,
entêtées de la même façon, qui élèveront la
voix en même temps, qui auront toujours à
redire sur ce que l'autre aura dit. Pas facile à
voir, la scène, n'est-ce pas ? Cela veut dire
qu'il y aura des prises de bec – nous aimerions que ce soit vrai, mais ce n'est pas le
sens que vous accordez à cette expression. Il
y en aura tout de même, et mésentente très
certainement. Mais il faut comprendre que,
lorsque cela se produit, c'est qu'il y a discorde au niveau des perceptions, c'est que

vous n'arrivez pas à faire la distinction entre ce que vous êtes et ce que les autres sont. Très souvent, cela se produit chez des gens qui n'ont pas pu s'ouvrir comme ils le voulaient, peu importe l'âge, peut-être à l'âge qu'a l'enfant. Revenez à l'âge de votre enfant. Regardez la liberté que vous aviez dans votre cas. Pas très grande, n'est-ce pas ? Regardez celle qu'il y a aujourd'hui. Lorsque vous voyez cela chez les autres, indépendamment de ce que vous penserez, il y aura en vous cette demande de revenir en arrière, d'être différent ou différente, de jouir autrement de la vie. Et lorsque vous vous voyez chez quelqu'un d'autre, vous êtes tous portés à faire la même chose : réfuter, repousser et ne pas vouloir voir. Voici une question pour vous ; elle vous aidera à comprendre, vous et d'autres aussi. Revenez à l'âge de 12 ans, qu'est-ce qui vous a manqué le plus ? Nous corrigerons si vous faites erreur, n'ayez aucune crainte. Si vous deviez revenir à l'âge de 12 ou 13 ans, qu'est-ce que vous aimeriez vivre, qu'est-ce que vous n'avez pas eu ?

Faire des choses que j'avais le goût de faire ?

Mais encore...

La liberté.

Exactement ! Et c'est ce que nous avons mentionné au début de cette réponse, la liberté que vous n'aviez pas eue lorsque vous étiez très jeune. Et avec la liberté qu'ont les jeunes d'aujourd'hui, il y a de quoi être révolté lorsqu'ils n'écoutent pas, parce qu'ils ont ce que vous n'aviez pas et qu'ils n'en profitent pas. Mais au-delà de cela, il y a les perceptions de soi-même au travers des caractères. Vous comprenez cela ? *(L'étoile, II, 15–10–1995)*

Est-ce que les liens entre frères et soeurs sont très importants ?

Dans certains cas, ils le sont et, dans d'autres, ils n'ont aucune importance. Quelque part dans tout cela, dans une

famille, vous allez finir par trouver une relation, une idée qui va vous convenir. Dans
toute relation qui ne fonctionne pas bien,
vous trouverez toujours un côté positif.
Pour répondre plus clairement à votre question, les liens entre frères et soeurs ne sont
pas obligatoires. Dans votre monde, être
accepté par tous est utopique, vous savez.
Vous faites encore beaucoup de distinctions,
même dans une même famille. Mais famille
n'est qu'un mot ; son sens dépend des limites
que vous vous êtes fixées. Pour certains, la
famille, c'est un pays. Pour d'autres, la
famille, c'est les frères et soeurs. Mais ne
cherchez pas à vous entendre avec tous
avant de vous entendre avec vous-même.
Les relations entre frères et soeurs sont
beaucoup plus faites de partage, et de facilité
de partage dans certains cas. Entre les frères
et les soeurs, il n'y a pas toujours de lien
provenant de vies passées, ni même de simi-
litude entre les Âmes. Pourquoi ne pas
accepter le fait que, si vos frères et soeurs ne
vous conviennent pas, ils ne vous conviennent pas, et c'est tout. Vous faites la

même chose avec vos nourritures ; lorsqu'elles ne vous conviennent pas, vous n'en mangez pas. Vous faites la même chose avec vos emplois, du moins ceux qui sont raisonnables. Cela ne vous convient pas ? Cela ne vous convient pas ! Vous savez ce qui arrive à ceux qui font ce qui n'est pas raisonnable ? Leur forme les rappelle à l'ordre. Donc, non, ces liens ne sont pas obligatoires ; si cela ne vous plaît pas, vous avez vos raisons. Peut-être qu'en trouvant votre famille au plus profond de vous, vous trouverez aussi ces raisons. Nous n'analyserons pas chaque famille. Il y a des gens qui sont jaloux de la liberté que d'autres prennent. Il est plus facile d'être jaloux dans une même famille. *(Symphonie, IV, 06–07–1991)*

Ma question concerne la famille, les rapports entre frères et soeurs. On a tous des Âmes. J'aimerais savoir comment il se fait que, dans une famille, certains arrivent à se sortir des difficultés, des problèmes, et que d'autres ne s'en sortent pas.

Ce n'est pas seulement dans les familles, c'est la même chose dans la société. Comment se fait-il que certains réussissent et d'autres pas ? C'est toujours la même chose : jusqu'à quel point ces gens s'écoutent, jusqu'à quel point ils mettent rapidement en oeuvre ce qu'ils ressentent, alors que d'autres ne vont qu'analyser les succès des autres. Regardez autour de vous, ignorez pour un instant la famille comme telle. Si vous regardez autour de vous dans la société, vous allez vous rendre compte que ceux qui réussissent ne réussissent pas toujours seuls ; ils réussissent aux dépens de ceux qui ne réussissent pas et qui n'ont pas compris ce qu'était la réussite. Bien souvent, ces gens ont encore moins d'efforts à fournir que ceux qui veulent réussir ou qui n'ont pas réussi. Ce qu'il faut en déduire, c'est qu'au plan familial, c'est la même chose : le temps de réaction n'est pas le même chez chaque individu. Il est plus facile de le constater dans une famille que dans une société, mais c'est la même chose. Ce n'est pas parce que vous avez des frères et des soeurs que vous êtes obligée de les aimer non plus. Ils font partie d'une société. Normalement, tout cela a été planifié et vous devriez être capables de bien vous entendre. Mais les familles où cela se produit sont plutôt rares. Vous n'êtes pas votre frère et vous n'êtes pas votre soeur. Leur temps de réaction est différent du vôtre ; leur façon de voir la vie est différente. Chez certaines personnes, c'est toujours de l'immédiat ; ils veulent réussir maintenant, ne plus y penser demain. Alors que d'autres veulent résoudre le problème dans leur tête pendant quelques jours, voire quelques années et le faire vivre aux autres. C'est la même chose pour le succès, pour l'amour entre deux personnes et pour l'amour d'une personne envers elle-même : combien de temps vous donnez-vous pour réussir ? Ceux qui ont réussi dans la vie se sont donné des délais ; ceux qui n'ont pas encore réussi, ce n'est pas qu'ils n'ont pas les capacités, c'est qu'ils n'ont pas dit quand ils voulaient réussir. Dans les familles, c'est la même chose. Il y en a qui veulent réussir leur vie et ils passent à l'action. Si ce qu'ils n'ont pas fait les dérange, ils vont le refaire rapidement. Et si ce qu'ils ont fait n'est pas comme ils le voulaient, ils ne le referont pas deux fois de la même façon, ce qui fait qu'ils ne sont pas toujours faciles à suivre. Mais qui a dit que les membres d'une famille devaient se ressembler ? Que vous soyez quatre ou quatre milliards, le quatre est inclus dans le quatre milliards ; que vous soyez dispersés comme famille ou réunis, vous faites partie d'un tout ; c'est la même chose. Vous avez des choix à faire, selon vos expériences. Jusque-là, vous nous avez suivies comme il le faut ?

Oui.

Qu'en déduisez-vous ?

Ils ont des choix à faire aussi. Ils ont une Âme et je pense que ça leur appartient. Je pense qu'ils deviennent plus conscients peut-être ?

Enlevez le peut-être.

Ils deviennent plus conscients de ce qu'ils vivent.

Et qu'ils veulent...

Et qu'ils le veuillent surtout, oui.

Très bien ! Et si vous voulez que cela fonctionne pour vous, que devrez-vous faire à l'avenir ?

Pour moi, je sais que c'est de passer à l'action, de contacter de plus en plus mon Âme. Moi, j'en suis consciente, mais comment aider une personne à ce moment-là ? Je lui tends une perche mais j'ai l'impression, comme vous l'avez dit tout à l'heure, que des fois il n'y a pas de porte.

Mais il y a des gens qui vivent ensemble et qui ne sont pas faits pour vivre ensemble. Il y a des gens, dans une famille, qui n'arriveront jamais à s'entendre. Mais qui vous a dit que vous aviez vraiment à le faire aussi ? Nous avons dit qu'il y avait tout ce qu'il

fallait dans une famille, qu'une famille, dans
le modèle idéal, c'était des choix. Mais nous
avons aussi dit que vous vous étiez perdus
de vue dans vos réalités parce que rien n'en-
tretenait cela. Sachant tout cela, il est facile
de comprendre qu'entre frères et soeurs,
vous vivez souvent comme des étrangers
ayant des expériences pas toujours parta-
geables. Il y a toujours de la compétition
familiale aussi. Les chouchous de chaque
famille, cela existe, tout comme ce que vous
appelez les moutons noirs, les moins aimés.
Vous trouverez cela dans chaque famille. Ce
qu'il faut en déduire, c'est que vous n'avez
pas de perche à tendre ; vous n'avez pas à
faire le premier pas. Le seul pas que vous
avez à faire, c'est vers vous-même. Et si ce
que vous vivez est suffisamment puissant, ce
sont les autres qui font les premiers pas.
Ceux qui ont réussi dans la vie ont déjà fait le
premier pas. Et pour que cela continue à
fonctionner, ce sont ceux qui gravitent
autour d'eux qui les font pour eux. C'est
pour cela qu'une fois que la réussite est

établie, elle est beaucoup plus facile à pour-
suivre qu'à établir.   Faites la même chose
avec vous. Plutôt que d'aller faire un pas vers
cette personne – ce que nous disons est bon
pour les autres aussi –, plutôt que de penser
à faire le premier pas, plutôt que de penser
que l'autre fera le premier pas, pourquoi ne
pas vous dire que c'est déjà pardonné et que
vous aimez, sans le mentionner aux autres,
juste pour voir comment votre forme trou-
verait de nouvelles réponses ? L'oubli, c'est
aussi le pardon, mais pas de pardonner aux
autres.   Pardonnez-vous de ne pas l'avoir
compris avant et vous verrez que l'amour a
une toute autre signification. Réfléchissez
bien à cela. Vous verrez que cela attirera les
gens autour de vous. Le pardon de soi et
celui des autres, c'est la même chose. Il ne
suffit que de le vouloir, même pas de le comprendre. *(Pluie de lumières, I, 13–04–1997)*

*Pourquoi se chicane-t-on souvent
dans une famille, comme moi avec
mon frère ?*

Une question pour toi : lui as-tu déjà dit
que tu l'aimais ?

Non.

Qu'en-penses-tu ? Est-ce que tu aurais une
raison pour ne pas le lui dire, une raison
autre que le fait qu'il ne te l'a pas dit lui non
plus ?

Non.

Ce qui est important dans cela, c'est que tu
as dit qu'il était quand même ton frère. Ce
qui ne veut pas dire que, si tu avais le choix,
tu changerais. Peut-être que lui aussi
voudrait changer. Excuse-nous de te le
dire, mais tu n'as pas été un cadeau et tu ne
l'es pas encore, et tu le sais très bien. Donc,
sachant cela, tu n'as pas à attendre que ton
frère te dise qu'il t'aime ; tu pourrais peut-
être faire les premiers pas. Les chicanes
sont tout à fait normales ; elles sont faites
pour apprendre. Vous ne vivez pas sur des
tablettes, vous êtes des êtres vivants. Il faut

donc apprendre à vous exprimer, à dire ce
que vous pensez, mais au moins une fois
que vous vous serez chicanés, fermez toujours une discussion en disant : « Malgré
tout, j'aime quand même. » Vous verrez,
cela aussi fait des miracles. Vous allez
désarmer l'adversaire très rapidement. Est-
ce que tu as compris cela ?

Oui. (Les flammes éternelles, I, 24–11–1990)

*J'aimerais que vous nous parliez
des liens qui existent entre les
frères et les sœurs, en particulier des liens
avec l'aîné.*

Dans chaque famille ? Sur cinq milliards
d'individus ? Il faudrait plusieurs sessions.
En règle générale, si tout était parfait, si tout
fonctionnait comme nous aimerions que
cela fonctionne... Une famille, c'est un sup-
port interne où des choix ont déjà été faits
avant vos naissances de façon qu'une réussite collective soit plus facile à obtenir. Mais
c'est presque utopique actuellement étant

donné la compétitivité qui s'est créée dans
les milieux familiaux, le manque de soutien
qui existe aussi dans la famille actuelle, et
vous n'avez rien vu pour le futur ! Tous ces
manques ont fait en sorte que les familles se
divisent. Nous ne vous apprenons rien à ce
niveau. Et lorsqu'elles se divisent, il se crée
des habitudes de vie qui sont de nature à ras-
surer ceux qui divisent les familles, qui sont
correctes pour eux, mais qui devront être
acceptées par les autres. Donc, des liens dis-
paraissent. Nous pourrions ici faire un lien
avec la collectivité que vous appelez le
Québec d'ailleurs, qui a appris à se disloquer
de lui-même par manque d'amour person-
nel. Très décevant à ce niveau ! Oh, nous
pourrions vous en dire beaucoup à ce niveau
pour mieux vous faire comprendre. C'est la
même chose qui se produit au niveau de la
famille : manque de reconnaissance, manque
de soutien, manque de réalisme, mais
surtout manque de compréhension de la vie.
L'aîné n'a aucun rôle par rapport au cadet.
Ce n'est pas un rôle qu'ils ont à jouer ; ce
sont des soutiens intérieurs, des liens déjà

développés avant vos naissances, nous le répétons. C'est cela qui n'est plus continué. Et c'est aussi là le malheur de vos sociétés actuelles, des sociétés qui entretiennent mille façons de vivre mais aucune façon de mourir. Donc, aucune possibilité de continuité à l'intérieur de vous. Dans les familles, c'est un peu tout cela qui se reproduit : des divisions, des éloignements plutôt que des liens d'amour. Nous généralisons les cas, mais il y en a qui sont vraiment comme nous aimons les observer ; mais ce n'est pas la majorité. Des familles qui se soutiennent, c'est plutôt rare actuellement ; ce sont plutôt des gens qui cherchent à se prouver les uns aux autres qu'ils ont plus de chance de réussir que l'autre, et cela divise encore plus. Voulez-vous être un peu plus précise dans votre question, s'il vous plaît ?

Je n'avais pas une précision en particulier. Je me posais la question vis-à-vis de moi, mon frère, mes soeurs et de mes enfants entre eux ; c'est plus pour être attentive aux besoins.

Si vous comprenez la famille comme nous l'avons toujours expliquée, si vous connaissez les liens qui sont déjà établis et déjà souhaitables puisqu'ils ont été choisis, la famille a son lieu et sa raison d'être. Mais si vous ne comprenez pas ce que nous expliquons, la famille peut continuer de se diviser en paix. Ce sera plus difficile et ce seront des réussites personnelles encore plus difficiles à atteindre. Ceux qui sont ici présents, regardez parmi vous, dans vos familles ; combien d'entre vous ont été montrés du doigt, mis de côté, accusés de suivre des sectes. Foutaise que cela ! Juste parce que vous avez fait le choix de vous choisir, vous – pas nous, vous –, vous êtes différents et différentes. Bien sûr, vous le serez. Plus vous vous découvrirez, plus vous apprendrez à vous aimer, plus vous serez différents de ceux qui cherchent à vivre dans la réussite unique, en ne tenant pas compte de leur forme et de l'amour qu'ils ont pour eux. Démontrer vos biens est une chose, mais bien vivre en est une autre. Il y a un monde entre ces deux

distinctions. Regardez aussi dans vos pro-
pres familles, vous avez déjà la réponse à
cela. Plus de la majorité d'entre vous vont
trouver des amitiés à l'extérieur de la
famille ; la majorité d'entre vous trouveront
un vrai frère et une vraie soeur, mais à l'extérieur de leurs frères et soeurs, la grande
majorité. Vous ne développez pas le bon
goût. *(Poussières d'étoiles, III, 07–06–1998)*

*C*omment peut-on faire pour aimer
nos enfants sans créer un besoin
d'être aimé ?

Habituellement, lorsqu'une personne com-
pense comme cela, lorsqu'elle veut tellement
donner, c'est parce qu'elle attend beaucoup
elle-même ; c'est parce qu'elle veut beaucoup pour elle ; c'est parce qu'une partie de
son affection n'est pas comblée. Donc, elle
comble son manque et, bien sûr, cela peut
créer une habitude ; cela peut être trop et
avoir l'effet totalement contraire. Qu'est-ce
qui peut aider dans ces cas ? C'est très simple, la parole. Pas seulement faire ressentir

l'amour que vous avez, mais le mentionner.
Dites donc pourquoi aussi. On faisait la
même chose lorsque vous étiez plus jeunes
et qu'on vous récompensait pour une bonne
action ; on vous disait pourquoi. Lorsqu'on
vous punissait, on vous disait pourquoi,
sinon vous n'acceptiez pas la punition. Si
vous dites pourquoi vous aimez, quelles
raisons vous font aimer, ce sera accepté. Si
vous aimez sans le dire, uniquement pour
donner, cela devient une satisfaction personnelle. Ce n'est pas compris de l'autre, ce
n'est pas perçu et ce n'est pas pris. Bien souvent, cela a l'effet contraire. Donc, il est très
important de dire la raison, sinon vous n'en
serez pas convaincue vous-même. Si vous
dites : « J'ai tellement le goût de vous aimer
et de vous dire que je vous aime, mais j'ai
tellement besoin que vous me le disiez »,
cela fait une énorme différence puisque vous
pouvez créer un besoin d'aimer et d'être
aimée, et cela vous comblera aussi. Votre
question dénote une peur, une crainte que
l'amour ne soit que dans un seul sens et pas
compris. Était-ce le sens de votre question ?

Oui.

Vous avez bien compris ?

Oui.

Acceptez donc, pour une fois dans votre vie, de vous laisser vivre plutôt que de vous imposer la vie. Parfois le raisonnement du coeur est beaucoup plus précis qu'un raisonnement conscient. Sachez cependant que vous avez, chacun d'entre vous, tout notre amour. *(L'envolée, II, 19-09-1992)*

Quand on dit qu'on aime nos enfants... Dans mon cas, j'ai souvent dit que je les aimais mal, que je les aimais trop.

Comment pouvez-vous aimer mal ?

Je pensais que certains gestes que j'ai posés ou certaines choses...

Qu'attendiez-vous en retour ?

Qu'ils soient heureux dans ce qu'ils vivaient avec moi.

Pouvez-vous aimer sans attentes ?

Un peu plus maintenant qu'avant.

Si vous aimez dans le but qu'ils reconnaissent, c'est que vous avez des attentes, et c'est cela qui vous peine. Lorsque ces attentes ne sont pas comblées, cela déçoit, et cela vous porte à faire plus encore pour avoir un peu de reconnaissance. Vous savez, cela ne peut conduire qu'à une déception. Ce que nous vous suggérons, par contre, est beaucoup plus simple. Regardez-les dans les yeux lorsque vous le direz, pour qu'ils puissent non seulement le voir, mais le reconnaître ; ne le dites pas de façon globale, mais dites la raison pour laquelle vous aimez. Si vous dites : « J'ai faim », vous pourriez être surpris de ce que vous mangerez. Mais si vous dites : « Je veux du pain », vous saurez ce que vous mangerez, n'est-ce pas ? Si vous dites que vous aimez parce que ces enfants sont bons avec vous, si vous leur dites que vous les aimez en leur en donnant la raison, ils comprendront. Si vous dites que vous les aimez dans le but d'avoir de la reconnaissance, ils ne sauront même pas ce que c'est, puisque c'est ce que vous rechercherez vous-même. La prochaine fois, donnez la raison, fixez-vous des buts pour aimer, s'il le faut. Comme cela, ils le sauront, et vous leur apprendrez à aimer, pas à aimer pour le mot, pas à aimer pour des faits, pas à aimer pour des récompenses, mais à aimer pour des raisons. Songez à cela. *(Luminance, I, 17–04–1993)*

Lorsque je me lève le matin, j'ai bien souvent envie de donner plus de temps à mes enfants et de l'amour à ma femme. Et au fur et à mesure que la journée se déroule, cela se déroule de travers...

C'est parce qu'avant de vous lever, vous n'avez pas assez planifié dans votre tête ; vous n'avez pas assez visualisé ce qu'il

fallait faire. Faites-le avant de vous coucher.
Visualisez la forme d'affection que vous aurez
à donner, regardez les mouvements que vous
ferez pour la donner. Si vous ne prévoyez pas,
comment le ferez-vous ? Voyez d'avance dans
votre tête comment vous allez vous y prendre.
C'est ce que vous oubliez tous. Vous croyez
qu'il s'agit de vouloir pour le faire, mais vous
oubliez comment vous avez tous appris : en
regardant les autres. Dans ce cas, regardez-
vous la donner et vous l'intégrerez. Plus ce
sera clair en vous, plus vous verrez vos
enfants, votre épouse, plus vous vous verrez
clairement leur donner l'amour de la façon
que vous voulez leur communiquer, plus cela
se fera tout seul parce que, lorsque vous rever-
rez ces enfants, cette épouse, vous réagirez
instantanément. Si vous êtes pris au dépourvu
actuellement, c'est parce que vous ne
prévoyez pas assez comment. Vous voulez,
mais cela ne se fait pas. Vous comprenez bien ?

*Oui, mais je sens vraiment qu'il y a comme
une barrière que je dois franchir. Cela fait
longtemps que c'est là.*

C'est la barrière face à vous-même. Qu'est-
ce qui vous a manqué le plus lorsque vous
étiez plus jeune, à l'âge de vos enfants ?

L'amour.

Comment donner ce que vous voulez
recevoir avant de vous le donner ? Comment avez-vous reçu leur amour à ce jour ?
Vous en avez reçu de vos enfants, n'est-ce
pas ?

Oui.

Comment l'avez-vous reçu, comme un fait ?

J'ai de la difficulté à répondre.

Comme nous en sommes heureuses ! Nous
sommes heureuses que vous ayez un peu de
difficulté, et pour une raison fort simple :
vous venez de dire que vous ne savez pas
comment recevoir. Quand les enfants ou une
autre personne vous donnent de l'amour,
recevez en vous donnant la permission

de recevoir, sinon ce ne sera qu'un fait et,
deux jours plus tard, si ce n'est pas deux
heures plus tard, ce sera chose du passé.
Pour vous, cela veut dire d'apprendre à profiter de l'instant même sans attendre du
futur. Cela veut dire de recevoir chaque fois
comme un cadeau. Cela veut dire de
revenir en arrière et de « rephaser » votre
vie là où il y a eu un manque. Comment
cela se fait-il ? Lorsque vos enfants vous
donneront cet amour, cette attention,
prenez leur place. En vous mettant à leur
place, vous saurez la raison qu'ils ont de
vous donner et vous pourrez mieux vous
percevoir. Vous savez, les enfants sont là
pour cela. Ils sont les miroirs de ce que
vous avez été ; ils sont là pour vous rappeler ce que vous auriez dû être, pour vous
faire vous souvenir de ce que vous vouliez.
Jouez un rôle ; remplissez ce rôle et, surtout,
croyez-y ! C'est la seule condition que vous
aurez à remplir pour réapprendre cela.
Nous allons vous dire de quoi vous avez
peur ; vous avez peur de trop donner
d'amour, trop d'attention, trop d'affection et

de ne pas être capable de reconnaître en
retour. Ce qui vous empêche d'en donner ?
C'est la peur de passer tout droit, comme
dans le passé, et de ne pas savoir en profiter.
Vous comprenez bien cela ?

Oui.

Relisez bien ces passages ; ils sont très
importants pour vous. *(Marée et allégresse, III,
06-11-1993)*

*Un des poids qui m'étouffent est mon
rôle de mère ou de femme maternelle. Comment régler cela ?*

Reformulez cela autrement... Nous allons
vous donner une façon de poser votre question. Nous ne voulons pas que ces sessions
deviennent des sessions personnelles ; elles
sont pour vous tous. Quand vous posez
une question, même si cela peut être per-
sonnel, posez-la comme si elle était pour
tout le monde, et vous aurez le sentiment
de partager.

Pourquoi le rôle maternel est-il étouffant ?

Parce que vous n'avez pas été vous-même maternée. Ce qui vous étouffe, c'est ce qui vous manque. Qu'est-ce qui vous a manqué le plus lorsque vous étiez jeune fille, lorsque vous étiez jeune ? Revenez en arrière, même si c'est actuellement.

Une mère maternelle.

Comment pouvez-vous donner ce que vous n'avez pas eu ? Savez-vous pourquoi vous avez eu des enfants ?

Non.

Nous allons vous le dire dans ce cas. Pour réapprendre à être enfant, pas à être une mère. Cela, c'est un fait. Vous avez des enfants pour apprendre à l'être encore, à jouer et à jouir de la vie. Qu'est-ce que vous rejetteriez le plus de cette période où vous étiez très jeune ? Nous nous sou-

venons de cela très clairement. Qu'est-ce
que vous aimeriez le plus effacer ? Qu'est-
ce qui a été le plus lourd ?

De ne pas sentir que j'avais ma place.

N'est-ce pas ! De ne pas ressentir le besoin
d'être. À votre avis, qu'est-ce que les
enfants peuvent vous démontrer ?

Qu'ils ont besoin de moi ?

Oh ! pas vraiment. Sachant cela, qu'avez-
vous à apprendre ? À reprendre...

Ma place.

Et une partie de votre vie qui vous a manqué. Nous avons une surprise pour vous :
qui est le plus mère, est-ce qu'un enfant qui
vous aime l'est aussi ?

Oui.

Est-ce qu'une mère qui aime son enfant l'est
aussi ?

Oui.

Qui est la mère de qui, pas physiquement,
mais au niveau de l'amour ? Qui est tribu-
taire de l'autre ? Votre rôle, et ceci s'adresse
à d'autres ici, n'était pas d'enfanter pour être
mère et jouer ce rôle, mais pour reprendre
un rôle qui vous a manqué, pour redis-
tribuer en vous l'amour qui vous a manqué
à une période de votre vie. Faites des
folies ! Combien de fois avez-vous refusé de
vous rouler par terre !

J'ai commencé.

Bon, c'est très bien, mais combien de fois
l'avez-vous refusé dans le passé ?

Bien des fois.

Trop de fois ! Même chose que lorsque vous
étiez très jeune ! Et c'est ce que vous êtes

venue revivre. Les enfants, c'est cela pour
vous, pas une tâche, sinon ce sera très
lourd. Vous êtes venue revivre une partie
qui vous a manqué et c'est dans cela que
vous vous amuserez. Prenez-en conscience
et vous verrez aussi que vous êtes déjà
présente dans les enfants que vous avez, pas
comme une mère, mais comme un com-
pagnon de leur cheminement. Autrement
dit, vous leur redonnerez, mais pas ce qui
vous a manqué, car vous attendriez en
retour et cela vous rendrait malheureuse
parce que vous n'auriez pas l'équivalent.
Ne cherchez pas cela ; cherchez à être leur
égale. Un peu de folie, cela aide tellement à
être rationnel et être rationnel entraîne tellement de folies ! *(Co-naissance, II, 08–10–1994)*

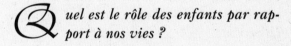

*Quel est le rôle des enfants par rap-
port à nos vies ?*

Les enfants sont conçus pour que vous
puissiez, dans un éternel recommencement,
comprendre. Nous expliquons cela d'un
autre sens. Regardez ce que chaque adulte

perd : sa spontanéité, son goût de jouer,
son goût de créer, tout ce qu'un enfant peut
faire, et bien mieux. Regardez le nombre
d'enfants – moins maintenant, mais un peu
plus dans le passé – qui, dès qu'ils vont se
coucher le soir, s'endorment. Combien de
temps prennent-ils pour s'endormir ?

Très peu.

Pour quelle raison, selon vous ?

Ils n'ont pas de souci.

Pas seulement cela. Ils ont fait ce qu'ils voulaient et lorsqu'ils s'endorment, tous les enfants ont la même façon de voir. À votre avis,
quelle est-elle ? Sur quoi s'endorment-ils ?

Ils rêvent.

Foutaise que cela. Qu'est-ce qu'un enfant
fait pour s'endormir ?

Il a hâte au lendemain.

Voilà. L'enfant s'endort en pensant ce qu'il
n'a pas eu le temps de faire et qu'il pourra
faire en s'éveillant. Combien d'entre vous
font cela ? Très peu, n'est-ce pas ? C'est
cela la créativité ; c'est cela vivre. C'est de
trouver la nuit trop longue parce que vous
n'avez pas eu le temps de tout faire ce que
vous vouliez. Lorsque vous serez rendus à
ce point, vous vivrez. Entre les deux, il y a
subir. Subir même sa journée. Vous savez
à quoi vous rêvez la majorité d'entre vous ?
Pas au lendemain mais à la journée même,
en souhaitant qu'elle ne se refasse pas.
Comment voulez-vous recommencer à neuf
avec cela ? Vous nous demandez encore ce
que les enfants ont à vous apprendre ? À le
devenir. Si vos peuples s'amusaient un peu
plus, ils se battraient bien moins. C'est
lorsque l'ennui fait partie du quotidien qu'il
y a accrochage. N'est-ce pas la même
chose dans vos vies familiales ? Vous avez
beaucoup à apprendre des enfants, juste à
les regarder. Tentez de jouer comme eux !
Le pire dans cela, c'est qu'une grande partie des adultes ont oublié qu'ils pouvaient

s'amuser simplement. Au contraire, vous avez trouvé des moyens dispendieux pour vous amuser. Pour la majorité, cela veut dire : obligations, des dettes, donc travailler encore plus. Pas surprenant que ces jouets dispendieux ne vous amusent pas ! La majorité d'entre vous n'ont pas eu de poupées ni de petits camions. Tentez de jouer à quatre pattes, vous penserez moins à votre quotidien, plus à vos genoux ! Ce sera beaucoup mieux. Regardez lorque nous vous avons dit de reposer vos formes. La première chose que vous avez touché, c'est vos fesses, pour pouvoir les remettre en place. Faites-en autant avec vos idées, vous verrez, cela fera des miracles. Bougez, faites quelque chose qui va vous donner le goût de vivre. Vous aurez le goût de vous coucher pour vous lever. Faites le contraire et vous allez vous retrouver dans des draps blancs avec des gens qui vont venir vous dire qu'ils vous aiment. Les enfants ont une participation beaucoup plus grande que vous vous imaginez. Sinon, à quoi bon les créer ? Vous savez, cela se perd. Le savoir de cette valeur se perd. Si un adulte ne peut vieillir avec ses enfants, redevenir plus jeune et remonter, à quoi bon comprendre ? Rendre adulte un enfant est la pire chose qui puisse avoir lieu. Ils auront le temps. Ne craignez pas sur ce point, c'est sûr. *(Arc-en-ciel, I, 09–04–1994)*

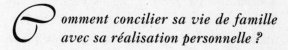

Comment concilier sa vie de famille avec sa réalisation personnelle ?

En permettant aux autres d'en faire autant. Permettez-vous d'être original ; permettez-leur de l'être. Il y a un terme, un seul, qui désigne la clé du succès de toute vie de couple, de toute vie de société et de toute vie individuelle : le respect, respect de soi et respect de ceux qui veulent être différents. Vous respectez, donc vous aimez. L'un ne va pas sans l'autre. Était-ce le sens de votre question ?

Oui, mais je pensais surtout aux enfants.

La meilleure pratique – et ceci rejoint ce que nous disions plutôt – pour aider les autres est

de vous montrer différent. C'est en étant différent que vous rendrez les autres différents.
C'est en étant original que les autres se per-
mettront de l'être. Que font les fous lorsqu'ils
sont ensemble ? Ils font les fous, n'est-ce pas ?
Que font les gens très raisonnables lorsqu'ils
sont ensemble ? Ils sont très raisonnables.
Que font les enfants lorsqu'ils pleurent ? Ils
pleurent ensemble. Vous suivez tous des ten-
dances. Nous employons le terme fou parce
qu'il est bien connu. Mais sachez qu'ils ne
sont pas si fous que ça parce qu'ils se permet-
tent de l'être, eux, alors que ceux qui sont trop
sérieux se le refusent, et le sont ! Tant mieux
si cela fait rire, c'est qu'il y a un peu de tout
cela en vous. *(Co-naissance, II, 08–10–1994)*

*Comment concilier le fait qu'on
veuille s'occuper à la fois de nos
enfants et de nous-même quand la personne
la plus importante doit être nous-même ?
Dans la relation avec nos parents, nos
enfants et les personnes qui nous sont
chères, comment concilier nos obligations,
nos responsabilités vis-à-vis d'eux ?*

Vous parlez de concilier ; nous vous disons
de vivre. Concilier veut dire dans vos termes essayer de faire en sorte que tout fonctionne. Cela veut dire tout à la fois. Cela
veut dire que vous allez essayer d'agir sur
tous les plans en même temps : enfants, travail, vous-même, etc. Tant mieux si vous
avez du temps libre. C'est cela concilier.
Nous, nous vous disons d'apprendre
d'abord à vous reconnaître. Apprenez à
vous accepter vous-mêmes en premier.
Lorsque vous serez capable de regarder
votre photographie à chaque instant et de
vous aimer, vous n'aurez pas besoin de vous
casser la tête pour vous concilier avec les
autres. Vous aurez toujours le temps pour
cela. Mieux que cela, les autres iront vers
vous pour comprendre, car ils seront bien
avec vous. Vous parlez de conciliation ;
c'est avec vous-même que cela se fait, bien
avant de se faire avec les autres. De tenter
de tout faire, y compris vos obligations,
n'occasionnera qu'une chose : vous rendre
impatient, parfois agressif, mais très certainement anxieux dans votre cas. Vous

appelez cela jongler. Voilà ce qu'est la conciliation, c'est jongler avec tout en même
temps. Et lorsque tout tombe par terre, il
vous faut tout ramasser et alors c'est un
casse-tête. Voilà trois synonymes : jongler,
casse-tête, tenter de concilier toutes vos
obligations et responsabilités. *(Renaissance,
II, 05–10–1991)*

*Dans une décision qui implique le
noyau familial, quels besoins priment, ceux des parents ou ceux des
enfants ? À qui commence-t-on par faire
plaisir, à soi ou aux enfants ?*

Premièrement, tel que vous venez de le
mentionner, si pour vous faire plaisir vous
nuisez aux autres, vous allez vous empêcher
de vous faire plaisir ; et si vous ne vous
faites pas plaisir, que se passera-t-il ? Votre
tempérament changera, votre façon de vous
conduire sera modifiée, vous ne serez pas
heureuse dans votre condition, et les autres
non plus. D'un côté ou de l'autre, c'est le
même résultat. Que vous attendiez ou que

vous agissiez, vous en viendrez tôt ou tard au même point, à déplaire. Choisirez-vous de déplaire de force pour être bien ou, au contraire, choisirez-vous d'endurer, de traîner la situation très longtemps, sans connaître vos limites physiques réelles ? Rappelez-vous que vous allez y greffer des émotions. Vous en arriverez à un point que vous ne pourrez plus dépasser. Donc, vous céderez, et une émotion suivra. Quelqu'un vous dira un mot plus haut que l'autre et vous pleurerez ; quelqu'un vous regardera de travers et vous pleurerez aussi. Et qu'est-ce que cela va changer ? La même chose se produira ; vous déplairez pour la même raison. Jusque-là vous nous suivez ? Donc, si vous devez faire un changement sachant qu'il déplaira, mais qui est une condition pour que vous soyez heureuse, cela vous le savez déjà, que vous reste-t-il à faire ? Seulement continuer à admettre que cela va déplaire ? Vous pouvez vivre comme cela ; certaines personnes vivront comme cela une vie entière en espérant qu'un jour cela se réglera. Et si cela ne se règle pas ? Et même si cela se réglait dans 20 ans ou 30 ans, qu'allez-vous garder en vous comme rancune ? Vivrez-vous pendant ce temps-là ? Vos vies sont tellement courtes, pourquoi tourner en rond ? Admettez ce qui ne va pas ; rencontrez ces gens. Si c'est dans une même famille, tant mieux, rencontrez-les et dites : « Voici. Cela ne vous plaira sûrement pas, mais la façon dont je vis ne me plaît pas non plus. Je suggère ceci... » et annoncez la décision qui vous rendra heureuse. Cela déplaira d'une façon ou d'une autre. Il reste à savoir pendant combien de temps. Nous allons vous poser une question. Fermez les yeux, concentrez-vous sur ce cas et répondez aux questions suivantes. Si vous aviez le choix, arriveriez-vous à vous voir comme cela dans cinq ans ?

Non.

Dans 10 ans ?

Non plus.

Si vous acceptiez de le vivre pendant
10 ans, de quoi auriez-vous l'air ? Que
ressentiriez-vous de vous ?

Fatigue, épuisement.

De l'épuisement. De quoi les gens épuisés
ont-ils l'air ? De gens âgés. Et que disent le
plus souvent les gens âgés lorsqu'ils regardent les gens plus jeunes ? « Si je pouvais,
je referais cela autrement. » Faut-il attendre cela ou ne pouvez-vous pas, au contraire, vous poser ces questions maintenant
et vous dire : « Si je ne peux me voir dans
cette situation dans un an, c'est que les
autres non plus ne pourront pas me voir
comme cela ; c'est que j'aurai accepté de
changer, mais pas pour le mieux. »
Maintenant, refermez les yeux et nous
allons vous poser notre question autrement.
Supposons que vous alliez de l'avant et que
vous régliez ce problème, comment vous
verriez-vous dans un an ?

Difficile à dire.

Imaginez un peu que vous avez cela.
Sentez en vous que ce changement vient
d'avoir lieu. Dans un an, comment vous
voyez-vous ?

Les conséquences du changement, de la
tristesse.

Autant de tristesse que de vous voir vieillir
dans cinq ans ?

Autant.

Qu'est-ce qui est le mieux pour vous ?

C'est cela que je ne sais pas.

Aimez-vous mieux vieillir avant l'âge ?
Aimeriez-vous mourir avant le temps ?

Non.

Nous vous donnons ces choix actuellement.
Soyez très directe dans vos réponses, sinon
nous allons vous accorder ce que vous

demanderez. Dans ce cas, est-ce que votre
comportement actuel peine aussi les
autres ? Est-ce que c'est apparent ce que
vous vivez ? Est-ce que les autres ressentent cela ?

Non.

Comment pouvez-vous imaginer faire
autant de peine dans ce cas ?

J'ai une décision...

Oh ! nous savons votre décision, ne vous en
faites pas. Nous connaissons votre cas,
mais nous voulons entendre des mots, pas
seulement dans votre tête, parce que de
seulement y penser, vous l'avez fait des milliers de fois et vous êtes toujours au même
endroit. Donc, qu'est-ce que cela veut dire
en gros ?

*Est-ce que cela veut dire de mettre les
enfants dehors ? Ce sont quand même mes
enfants...*

Nous ne sommes pas rendues là ; vous nous
avez coupé la parole. Ce que cela veut dire,
c'est que vous avez deux choix : ou vous
continuez ainsi en sachant très bien que
vous allez vous détruire graduellement, en
sachant que vous n'êtes pas certaine d'avoir
encore le courage, dans cinq ans, de vivre ce
que vous n'aurez pas vécu, et en vous
voyant fatiguée dans cinq ans dans votre
tête.   Soyez assurée que cela va trans-
paraître ! Personne ne peut dissimuler le
malheur qu'il vit. Si vos formes, comme
nous l'avons dit, se programment même
sans qu'il y ait contact, vous êtes donc
perçue. Tentez de sourire en étant malheureuse ; vous verrez que ce n'est pas
facile. Donc, vous serez perçue des autres
et, d'une manière ou de l'autre, vous ne
jouerez pas franc jeu.   Étudiez diverses
possibilités, pas seulement les extrêmes. La
solution que vous mentionnez serait un
extrême ; envisagez d'autres possibilités.
Posez-vous des questions différentes : « Si
j'avais le choix, qu'est-ce que je pourrais
faire qui pourrait amoindrir les effets de

l'état actuel ? » Posez-vous ces questions
tout haut s'il le faut, pas seulement dans
votre tête, car cela restera dans la tête et
vous aurez toujours une objection. Vous
avez tous la foutue mauvaise habitude de
penser pour les autres. Vous savez ce que
cela fait ? Cela vous empêche d'avoir le
courage de faire ce que vous devez faire. En
craignant de rendre les autres malheureux,
vous vous empêchez de le faire, parce que
vous serez malheureuse de le faire. Quelle
forme veut se punir ? Aucune. Donc, vous
attendez. C'est ce que vous faites depuis
quelque temps. Posez-vous les bonnes
questions, regardez plus loin que les résultats que vous espérez, beaucoup plus loin
que cela. « Très bien, mais une fois qu'ils
seront déçus, que vont-ils vivre ? Comment
puis-je m'y prendre pour que cela soit
moins pénible ? Qu'est-ce que je n'ai pas dit
pour me rendre à ce point et que j'aurais dû
dire ? » Faites le tour de ces possibilités,
sinon c'est certain que vous serez déçue,
mais c'est encore plus sûr que vous
décevrez. Vous comprenez tout cela ?

Oui. (L'envolée, II, 19-09-1992)

orsqu'on a passé sa vie à vivre
pour les autres...

C'est que vous n'avez pas vécu.

*C'est cela, je n'ai pas vécu. Mais aujour-
d'hui, je veux vivre et je ne veux pas me
sentir coupable face aux autres. Comment
faire ?*

Tout cela se fait en prenant conscience de
ce que vous avez été et que vous n'avez pas
aimé, et en ne refaisant pas les mêmes
erreurs. Considérez-vous comme une
tablette. Vous avez servi à poser sur vous
tout ce que les autres vivaient et à ne pas
être ce que vous étiez. Maintenant que
vous les avez habitués à aller vers vous et
que vous leur avez toujours donné ce qu'ils
voulaient, n'attendez pas le contraire de
leur part. Ils vont vous en vouloir de ne
plus être une extension d'eux-mêmes. Vous
comprenez cela ?

Oui.

Il y a des gens qui créeront beaucoup plus sans bras qu'avec des bras. En d'autres termes, il nous a été possible d'observer des gens qui ont peint avec leur pied et leur bouche, alors que d'autres avaient deux bras en bonne condition mais n'arrivaient pas à se moucher... des expériences de leur vie. Qu'est-ce que cela veut dire ? Cela veut dire que vous devrez cesser d'être les bras et la tête des autres, cesser d'être une servante et commencer à vous servir de ce que vous êtes, de vous. Cela veut dire planification personnelle ; cela veut dire que, malheureusement, votre agenda pour les 30 prochaines années est déjà rempli, que vous n'avez pas de secondes à accorder à ceux qui ont siphonné votre vie sans respect. Très simple... Prenez le plus petit agenda que vous trouverez, laissez les pages blanches, sans rien inscrire, mais dès qu'une personne vous demandera un service, vous lui direz : « Un instant... » Et vous inscrirez ce que vous aurez à faire vous-même cette

journée-là. Et vous direz : « Je suis désolée ;
je n'avais pas compris que j'étais occupée
cette journée-là. » Et vous ferez cela toutes
les autres fois, et vous verrez que vous serez
très occupée. Cinéma, théâtre... oh ! vous
savez, les arts occupent tellement de votre
temps ! Trouvez-vous des occupations ;
vous verrez qu'ils iront voir ailleurs.
Enlevez la carte à louer et inscrivez vendu ;
ce sera plus simple. Le ferez-vous ?

Je vais essayer.

Dans ce cas, cela prendra un peu plus de
temps. *(Les chercheurs d'étoiles, III, 17-11-1996)*

*Si on travaille, c'est pour l'argent,
pour avoir la possibilité de suivre
des cours ou de faire des choses pour nos
enfants. Par contre, on vient au fur et à
mesure chercher l'argent dans nos poches,
qu'il s'agisse du gouvernement ou de
quelqu'un d'autre. Y a-t-il une façon de
fonctionner avec cela pour être plus
présents à nos enfants ?*

Pour cela, il faudrait analyser chaque cas
individuellement. Pour certaines personnes, avoir trois autos, c'est normal et
c'est le minimum ; pour d'autres, l'autobus
suffit ; pour d'autres encore, une auto suffit.
Pour certains, une maison à la campagne et
une à la ville, c'est le minimum ; pour
d'autres, ce n'est pas d'investir dans une
propriété qui compte mais d'avoir un loge-
ment adéquat, d'être avec leurs enfants, de
voyager avec eux plutôt que de payer les
traites de deux propriétés ; pour ceux-là,
c'est de vivre qui compte. Que vous mour-
riez avec 3 propriétés et 10 autos, cela ne
donne rien de plus de notre côté. C'est ce
qu'il faut comprendre, que les exigences
individuelles sont différentes. Que des gens
se sentent pauvres avec un million de dollars, cela existe. Que des gens se sentent
riches avec 100 dollars, cela aussi existe.
En d'autres termes, la personne qui
apprend à vivre avec moins, apprend à cal-
culer un peu plus. La personne qui fait un
peu plus va se dire : « Il y a de la place pour
des extras. » Et cela n'a pas de limites.

Cependant, nous pouvons vous dire que, si votre but réel est de vivre pleinement l'amour qu'une famille peut procurer, de passer vos vacances en famille plutôt que de payer des traites bancaires, quitte à vous asseoir sur vos orgueils et même à passer pour quelqu'un qui a moins d'argent, cela fera des miracles. Tous et chacun, vous en venez à envier ce que l'autre possède. Dans certains milieux, c'est à qui aura plus que l'autre. Même dans vos familles, vous êtes portés à en faire la démonstration, ne serait-ce que pour prouver que vous vous débrouillez bien. Et vous trouverez toujours un imbécile heureux pour vous démontrer que vous êtes pauvre par rapport à lui et qu'il a plus que vous. Ne soyez pas touchés ; ce sont des leurres, de gros leurres. C'est ce que vous vivez qui compte ; les autres ne comptent pas. Si vos enfants vous ont, si vous le leur démontrez, vous allez en profiter aussi, non pas en les gâtant, mais en profitant de ce qu'est une famille. De l'amour, c'est ce que vous voulez tous en fait, mais vous en êtes rendus

à l'acheter au lieu de le gagner. Et vos
habitudes de vie ont changé. Pour nous,
c'est ce que vous aurez décidé comme limites, comme fonctions de vos vies qui
comptera. Mais encore une fois, vos biens
matériels vont plutôt être justificatifs
qu'utiles. Nous vous l'avons dit dès le
début de cette session : prenez le chemin
de l'amour, pas celui du porte-monnaie.
C'est vous qui décidez cela, c'est vous qui
fixez les normes de l'acceptabilité, pas nous.
La preuve, c'est qu'il y a des gens parmi
vous qui étaient certains de ne pas avoir les
sous nécessaires pour venir à ces sessions et
qui y sont pourtant. Cinq personnes ici ne
croyaient pas pouvoir venir à cette fin de
semaine que nous aurons bientôt et elles y
seront. Votre question ne tient pas. Si vous
y croyez, vous aurez ce qu'il vous faut. Si
vous avez peur, vous justifierez cette peur
par le travail et par vos revenus. Cela aussi
fonctionne. Il y a une parabole dans vos
évangiles qui parle de la multiplication des
pains. Ni les pains, ni les poissons ne se
sont multipliés, mais les gens étaient telle-

ment convaincus que ce qu'ils apprenaient était plus important que leur appétit, qu'ils n'ont pas eu faim. Et c'est cela la multiplication. Vous trouverez toujours les sous pour ce que vous voudrez et vous le savez tous. Vous poussez d'un côté et vous compressez de l'autre, mais vous arrivez à ce que vous voulez. C'est lorsque vous voulez tout en même temps que vous faites des abus et c'est le fait de ne pas tout avoir que vous ne digérerez pas bien. *(Le fil d'Ariane, IV, 14–12–1991)*

Pourquoi la plupart des jeunes refusent-ils ce que leurs parents leur demandent de faire ?

Est-ce que c'est ton cas ?

Des fois.

Sensiblement pour les mêmes raisons. En règle générale, les Âmes choisissent de se réincarner près de celles avec qui elles ont déjà vécu des expériences qu'elles ont aimées.

Il y a alors facilité de vivre. Les Âmes peuvent faire à leur idée parce qu'à deux, c'est
déjà mieux ; elles peuvent davantage faire à
leur convenance, selon ce qu'elles croient bon
ou non. C'est une possibilité. Mais il ne faut
pas oublier le caractère aussi. Toi-même, tu
as du caractère, beaucoup même. Cela ne
veut pas dire que tu aimeras tous ceux qui
vont t'entourer mais, à ton âge, tu chercheras
ceux qui te ressemblent, pas ceux qui t'en
voudront. Donc, tes parents sont pour toi des
gens d'un âge différent. À ton âge, tu analy-
ses et tu ne seras pas toujours prêt à accepter
ce qu'ils te diront. Tu n'as pas l'expérience et
tu ne vis pas en concordance avec ton Âme,
pas encore. Tu vis dans une forme très con-
sciente d'elle-même, qui cherche l'équilibre
dans la vie. À ce niveau, il te faut encore
apprendre, donc tu es parfois en désaccord
avec eux. Vous dites alors que vous n'êtes pas
sur la même longueur d'ondes. Comme c'est
amusant, comme les Cellules et les Entités !
C'est donc qu'il y a des Âmes qui vont vibrer
plus que d'autres, même dans vos mondes.
Est-ce que tu as bien compris cela ?

Oui.

Il est normal que cela existe aussi. Le contraire serait anormal. Cependant, il ne faut pas qu'il y ait exagération, mais compréhension. Nous aimerions parler d'âge avec toi, mais c'est comme le temps, cela n'existe pas non plus. En effet, vos âges sont basés sur vos années, vos années sur vos mois, vos mois sur vos jours, vos jours sur vos heures. Donc, à partir de la naissance, vous vous créez tous des minuteries. Lorsque vous êtes jeunes, vous êtes jeunes. Puis la période intermédiaire semble s'écouler très vite ; elle vous sert à préparer vos vieux jours. Cela fait en sorte de créer, cycle de vie après cycle de vie, des schémas de pensées faussés. Sache que cela n'est qu'imagination. Il ne faut pas croire que, si tu pouvais vivre 500 ou 600 de vos années, tu aurais 500 ou 600 ans de problèmes, ce serait faux. Aucune personne ici ne voudrait cela. Donc, il n'y aurait plus d'équilibre. Actuellement, vous êtes tous très pressés. Probablement que si vous enleviez tous vos montres vous ne verriez pas le temps passer. Est-ce que tu as bien compris tout cela ?

Oui, merci.

C'est nous qui te remercions. *(Les colombes, période réservée à des enfants, III, 04–08–1990)*

Pourquoi les jeunes refusent-ils l'autorité des parents ?

Parce qu'ils refusent leurs parents. Parce qu'ils refusent d'être comme leurs parents, parce qu'ils les voient emprisonnés et malheureux. Parce qu'ils aimeraient changer leurs parents, non pas changer de parents mais changer leur comportement, les voir davantage comme eux. Parce qu'ils aimeraient recevoir de l'affection de leurs parents. Il y a de multiples raisons. Si vous faites quelque chose contre vos parents, c'est que vous avez quelque chose contre eux ; sinon vous ne le feriez pas. Vous ne cherchez pas à provoquer quelqu'un que

vous aimez à moins de vouloir être aimés ou
de vouloir être punis. Refuser l'autorité des
parents est aussi une façon pour plusieurs
jeunes de faire en sorte qu'au moins leurs
parents s'occupent d'eux. Voyez comme les
causes sont multiples ! Les jeunes qui
aiment leurs parents ne refusent pas leur
autorité ; ils n'ont rien à leur prouver, ils
n'ont qu'à les aimer. Reformulez cette question pour que les autres s'en rappellent.

*Pourquoi les jeunes refusent-ils l'autorité
des parents ?*

Comprenez-vous mieux ? Donc, si vos parents sont autoritaires, s'ils vous disent
constamment quoi faire, est-ce que vous
leur dites qu'ils vous manquent, que vous
n'aimez pas toujours leur comportement,
que cela vous dérange souvent, que vous
aimeriez qu'ils vous disent plus souvent
qu'ils vous aiment ? Tout cela peut tous
vous conduire vers les mêmes agissements,
jusqu'à ce qu'ils vous réprimandent. En
fait, vous vous réprimandez vous-mêmes,

car vous vous en voulez de ne pas avoir fait ce qu'il faut, de ne pas avoir dit ce qu'il fallait. C'est une forme d'autopunition. Vous allez contre leur volonté parce que vous avez été contre votre propre volonté. *(Les flammes éternelles, III, 11–05–1991)*

Comment accepter de ne pas se sentir coupable de ne pas ressentir d'amour vis-à-vis de l'un de ses parents ?

Si vous êtes franche avec vous-même, vous saurez que, si cette personne vous donne de l'amour, c'est parce que vous en avez déjà donné. Si elle ne sait pas comment vous en donner, s'il y a un froid qui s'est établi, c'est parce qu'il n'y a pas eu de communication, ou que cette personne ne l'a jamais appris, ou qu'elle ne veut pas l'apprendre. Vous sentir coupable ? C'est la pire des réactions. En fait, ce que vous pouvez faire de mieux, c'est démontrer votre indifférence et retransmettre encore plus d'amour dans cela. Cela va intriguer autour de vous, cela va faire poser des questions et cela va

donner une réaction. Mais vous n'avez pas
à vous sentir responsable de cela. Plus tôt,
nous avons dit que vous n'avez pas à être
responsable de vos parents et que vos parents n'ont pas à l'être à votre égard. Vous
êtes des individus qui avez des buts différents. Vous êtes tous comme cela. Si
vous perdez vos deux parents, vous vivrez
quand même. Vos vies ne s'arrêtent pas
pour autant ! Dans ce cas, pourquoi arrêter
vos vies pendant qu'ils vivent ? Faites des
choix. Mais vous sentir coupable ou
responsable pour des gens qui n'arrivent
pas à démontrer leur amour, leur affection,
c'est peine perdue. Démontrez-le du mieux
que vous pouvez en étant bien avec vous-
même. Si nous observons ces huit ou neuf
derniers mois, vous le faites de mieux en
mieux. Ce que vous avez appris dans cela ?
Une chose très importante, le respect de
vous-même. C'est ce que vous avez appris
de mieux dans ces huit derniers mois.
(Marée et allégresse, II, 09–10–1993)

*M*on animateur de pastorale nous a appris des choses sur les mondes invisibles, est-ce la réalité ce qu'il a dit à propos du jeu de Ouïja et des mondes invisibles ?

Il y a des gens qui se prendront à ce jeu, car c'est un jeu ; mais un jeu peut être dangereux aussi. Souvenez-vous, nous vous avons parlé de ces mémères, les Entités. Lorsque vous jouez avec un jeu comme le Ouïja, vous ouvrez une porte dans votre conscience et ce sont ces mémères qui en profiteront. Cela pourrait vous influencer grandement. Ce pourrait être négatif et positif, et vous faire peur. Il y a des choses exactes dans ce que dit votre animateur de pastorale, mais il ne fait pas la distinction dans les niveaux de vie qu'il y a. Donc, prenez et laissez dans ce qu'il a dit. Dans un sens, vous en apprendrez beaucoup plus ici ce soir, car vous aurez beau, vous tous, parler des mondes que vous ne voyez pas, si vous ne pouvez pas dire « je t'aime », qui vous entendra ? Il serait grand temps pour vous tous, lorsque vous en aurez l'occasion, de vous regarder dans un miroir. Vous avez cette occasion pratiquement tous les matins, pourquoi ne pas vous faire un clin d'oeil de temps à autre ? Pourquoi ne pas vous dire que vous vous aimez ? Pourquoi ne pas prendre la première occasion que vous aurez pour le dire à une personne près de vous ? Parce que c'est gênant, parce que vous ne savez pas comment le faire. N'est-ce pas ridicule parfois la vie ? De simples mots pourraient éviter des guerres. Deux mots : je t'aime. Deux mots qui pourraient empêcher une guerre et sauver les milliards de dollars dépensés pour des armements. Deux seuls mots, et ces mots sont même difficiles à dire dans une même famille. Imaginez dans un pays ! Imaginez sur toute une planète ! Est-ce si difficile de regarder vos amis, vos parents, vos frères et vos soeurs et de leur dire : « Je n'ai peut-être pas de raison de le dire, mais il y a quelque chose en moi, malgré que tu m'énerves, que

j'ai le goût de te dire ; j'ai le goût de te dire
que je t'aime quand même. Et toi ? » Vous
verrez, cela fait des miracles, l'autre devien-
dra moins énervant. Cela ouvrira vos yeux
et votre coeur. Mais qu'en est-il de vos parents ? Nous entendons déjà plusieurs
commentaires. Vous ne pourrez pas nous
les cacher parce que nous entendons ce que
vous pensez. Vous savez, nous sommes très
ratoureuses. Il y en a quatre ici qui ont
pensé ceci : « Oui, mais mes parents sont
toujours en chicane. Ils ne s'entendent pas,
ils ne se disent même pas qu'ils s'aiment, ils
ne s'aiment pas. Je pense qu'ils se haïssent,
alors pourquoi leur dire "je t'aime" ? »
N'est-ce pas ? Pour une raison très simple :
si vous ne leur dites pas, ils ne le savent
plus. Ils ont trouvé des moyens de vivre qui
les emmerdaient, et ce terme est très juste.
Ils ont vécu de cette manière au point de ne
plus se voir, au point d'oublier qu'ils se sont
aimés. Vous savez, si personne ne le leur
dit, ils ne le sauront plus. Qu'est-ce que
cela vous coûterait en fait de leur dire ?
Nous venons d'entendre deux personnes

passer des commentaires : « Je ne suis pas sûr d'aimer ma mère. » « Pas sûr » n'est pas un mot. Nous venons d'en entendre une seule dire : « Je ne l'aime pas. » Vous l'aimez trop, tellement qu'il vous est même difficile de le dire, tellement que vous aimeriez qu'elle vous le dise avant. C'est cela votre réalité, vous attendez. Savez-vous qui attend dans ce monde ? Quatre milliards d'individus qui attendent de se faire dire qu'ils sont aimés. Puis, lorsque quelqu'un dit à un autre qu'il l'aime, tous sont surpris, mais ils sont moins surpris lorsqu'il y a une guerre. Voyez la stupidité du monde. C'est gênant, direz-vous ? Il est bien plus gênant de vivre dans sa coquille, renfermé en soi-même et d'attendre. Vous avez vu ce que font les tortues lorsqu'elles ont peur ? Il ne reste plus que la carapace. Oh ! la tortue est là, mais à l'intérieur, pas vite, pas brillante. Est-ce ce que vous faites de vos vies, vous renfermer si jeunes de peur de vous exprimer, comme cette tortue ? Même les boucliers les plus durs se percent. Pourquoi pas le vôtre ?

Pratiquez-vous donc entre vous ? Vous verrez, ce n'est pas difficile de dire « je t'aime »
à ceux que vous aimez réellement.. Pas
besoin de raison pour aimer, vous aimez
parce que vous aimez. Si vous attendez des
raisons pour aimer, vous allez être très malheureux. Pourquoi ne pas être les premiers ?
Vous n'aimez pas cela ? Pourtant, être les
premiers a du charme... Qu'en pensez-vous,
musicien ? Pourquoi ne pas regarder à votre
gauche et le dire maintenant. Quels sont les
mots que vous aimeriez entendre ?

Je t'aime.

Pourquoi ne pas le dire à votre soeur ?

Je t'aime.

Je t'aime.

N'est-ce pas mieux ?

Oui.

Il n'y a pas d'eau sous vos chaises... Personne n'a transpiré... C'est donc que vous êtes toujours en vie. Vous verrez, vous n'avez pas besoin de raison pour dire : je t'aime. Vous devez plutôt oublier les fautes des autres. Il y a des problèmes dans votre vie de famille, et après ! Vos parents ne sont pas parfaits, et après ? Vous ne l'êtes pas non plus ! C'est mieux chez vos amis... qu'en savez-vous ? Si le mieux dans tout cela était que vous pourriez donner la sensibilité à vos parents, leur dire que vous les aimez, même si ce n'est que de vous avoir mis au monde, même si ce n'est que de vous avoir donné une chance d'être ici ce soir. Vos parents n'ont pas les mêmes raisons que vous de vivre. Qui vous dit qu'ils ne sont pas découragés de la vie parce qu'ils manquent d'amour ? Qui vous dit aussi que vous n'êtes pas là pour les encourager à vivre ? Ne soyez pas dupes, ne jouez donc pas le rôle que plusieurs pays se donnent actuellement. Vous n'aurez rien dans votre vie par des affrontements, mais vous aurez tout de ceux auxquels vous saurez dire dans le fond de votre coeur que vous les aimez. *(Les flammes éternelles, I, 24–11–1990)*

Pourquoi existe-t-il tant de violence dans les familles ? Qu'est ce qu'on peut faire pour l'éviter ?

Premièrement, il faut bien comprendre que, lorsque qu'une Âme s'incarne dans un milieu familial, ce qui veut dire un groupe de trois, quatre ou cinq membres, elle a déjà vécu avec eux dans la majorité des cas. Elle prend cette chance par goût d'apprendre plus rapidement et d'obtenir un résultat plus rapidement, ou pour maîtriser un problème qu'elle avait lorsqu'elle vivait dans une autre forme. Si ce problème est l'absence de discussion ou de dialogue et que l'Âme entre dans un milieu familial où le dialogue est très difficile à obtenir, cela lui demandera deux fois plus d'efforts. Les raisons motivant les choix des Âmes sont aussi nombreuses que vos formes sont nombreuses. Donc, si vous prenez des gens qui ne sont pas conscients de tout cela, ils ne dialogueront pas, il y aura chicanes, mésententes, et rupture familiale dans plusieurs cas. C'est par ignorance, dirions-nous, ignorance de leur valeur, du pourquoi de leur vie. C'est tout cela qui devra changer. S'il ne peut y avoir d'union dans une simple famille, comment voulez-vous que cela ce fasse dans tout un pays et dans le monde entier ? Les familles sont des cellules comme les cellules de vos formes ; elles forment un ensemble. Pour cela, il faut de la compréhension, du vécu et beaucoup d'imagination. Vous aurez toujours le choix. Le sachant, lorsqu'il y aura mésentente, que ce soit avec des amis ou des membres de votre propre famille, plutôt que de ne voir que la mésentente, demandez-vous donc plutôt : « Est-ce que j'avais quelque chose à apprendre dans cela ? » Et si la réponse ne vient pas, les autres questions à vous poser sont les suivantes : « Qu'est-ce que je pourrais faire pour les rendre conscients ? Est-ce que ce serait de leur donner un peu plus d'amour, un peu plus de compréhension, ou de leur faire voir leur idiotie ? » Vous savez, plusieurs se contentent de penser mais ne font rien. Ceux qui ne savent pas, ne savent pas. Maintenant que vous le savez, vous pouvez l'apprendre aux autres. Mais il doit y avoir respect des autres, respect du choix des autres, et non pas domination des autres, sinon ceux que vous aurez à vos côtés voudront aussi vous dominer. Il est difficile de trouver de l'entente quand il y a domination. Qui sera le plus fort des deux ? Pouvons-nous vous suggérer, à tous et chacun, que vous êtes tous pareils ? Vous êtes tous de la même famille en fait, comme vos Âmes le sont. Les choix que vous prendrez seront les vôtres. Il y a tant à vous dire. Est-ce que c'est bien compris ? *(Maat, I, 09-11-1990)*

Quand les parents sont âgés et essaient d'attirer l'attention de leurs enfants en étant malades à leur manière, est-ce que les enfants peuvent faire quelque chose ?

Premièrement, cela dénote un manque de communication à l'intérieur de la famille. Cela signifie aussi que ces parents ne se sont pas ouverts lorsque le temps était venu. Cela se passe dans certaines familles. Nous allons donner deux exemples. Prenons le cas de familles où les parents ont épaulé toute leur vie les enfants sans penser à eux-mêmes. Ils n'ont vécu que pour leurs enfants, pas pour eux, et lorsque ces enfants prennent de l'âge, ils oublient leurs parents pour penser davantage à eux-mêmes. Les parents se disent alors : « Maintenant que nous sommes plus âgés, les enfants pourraient venir nous voir plus souvent, ils pourraient nous dire qu'ils nous aiment. » Rappelez-vous le retour en enfance des personnes qui vieillissent. Puis ces parents deviennent plus amers et se disent : « Étant donné tout ce que nous avons fait pour eux, pourquoi ne peuvent-ils pas nous dire qu'ils nous aiment ? » Puis, une journée où ça ne va pas bien : « Pourquoi ne m'offrent-t-ils pas de fleurs ? » Ils se créent peu à peu un monde à part et ils en viennent à se dire qu'ils ont manqué leur propre vie : « L'avoir su, nous n'aurions pas fait cela, nous nous serions occupés de nous-mêmes. » Effectivement, ils se seraient occupés d'eux-mêmes. Ces gens se retrouvent avec des formes malades et leurs enfants n'ont pas le temps de s'occuper d'eux. Ils doivent donc devenir encore plus malades pour les forcer à venir les voir. C'est une roue. Et si jamais ce cycle est brisé par les enfants, il est à souhaiter que la maladie ne soit pas trop avancée ou trop évolutive, sinon ils se font prendre à leur propre jeu. Ils ne peuvent pas et ne savent pas comment faire pour revenir en arrière et ils regrettent. Considérons maintenant le cas de couples qui, au contraire, ont fait leur propre vie tout en essayant d'aider leurs enfants de leur mieux et qui se rendent compte que, lorsqu'ils ont besoin d'aide, les enfants ne sont pas là. Ces gens analysent tous les efforts, tous les sous qu'ils ont dû investir et eux aussi deviennent amers. Plus les années passent, plus les résultats sont rapides, au point où ces gens s'oublient et ne veulent plus vivre. Ils ont trop vécu pour les autres, même dans leur propre vie de couple. Combien de fois n'avez-vous pas entendu des parents dire : « Nous vivons pour nos enfants, nous ne faisons pas cela pour nous, nous faisons cela pour eux. » Il y en a plusieurs parmi vous qui se sentent visés par cet exemple. Agir ainsi ne vous garantira pas plus l'amour de vos enfants que si vous vous occupiez davantage de vous-mêmes. La réalité, c'est cela. Ne comprenez-vous donc pas que vos vies se vivent sur une base individuelle et qu'il vous faut découvrir l'harmonie et l'amour pour vous-mêmes en premier afin de les retransmettre à vos enfants ? Regardez seulement les comportements actuels des enfants. Ils sont super-pourris, gâtés, avec plein de jeux électroniques, plein de sous pour faire ce qu'ils veulent, mais ils ne font rien pour aider leurs parents ; ils n'ont pas le temps, ils jouent ! Que feront-ils plus tard ? Ils demanderont encore et encore. Qu'espérez-vous avoir en retour un jour ? N'attendez rien ; ils auront leur propre vie. Pour résumer, ceux qui ont eu des enfants le savent tous et ils vous diront ceci. Entre l'âge de la naissance et un an : « C'est merveilleux les enfants ! » Entre un an et trois ans : « Je n'aurais jamais cru que cela demandait tant d'efforts... » Entre trois et cinq ans : « Si j'avais su ! » Entre cinq ans et sept ans : « S'il peut donc aller à l'école ! » Et plus tard, ceux qui n'ont pas appris à maîtriser leurs enfants en bas âge : « Je n'aurais jamais dû avoir d'enfants, maintenant je suis obligé de m'en occuper. » Il y en a trop qui ont des enfants par obligation et cela amène ou conduit à des questions comme la vôtre. Effectivement, si des parents âgés agissent comme cela, c'est premièrement parce qu'il n'y a pas d'ouverture entre eux. Deuxièmement, ils ont trop donné et trop attendu pour le futur, ce qui est vrai dans la majorité des cas, ou ils veulent seulement être approuvés pour ce qu'ils ont fait. Effectivement, acceptez de voir les gens qui ont plus de 80 de vos années comme de grands enfants au niveau des sentiments et des émotions.

C'est généralement vers l'âge de 70 ans qu'ils veulent vivre davantage cela, qu'ils veulent recevoir et ne plus donner. *(Les Âmes en folie, IV, 20-07-1991)*

Au début de la session, vous parliez de sujets qui nous empêchent de nous épanouir, je me demandais...

La mort en est un.

À propos de l'influence de nos parents, de notre mère... Quand des choses montent à l'intérieur, comment s'en libérer, comment s'en défaire ?

En ne faisant pas la même chose qu'elle a faite ! De cette façon, vous vous éloignerez de ces pensées. Si vous ne voulez plus penser à une personne décédée et que vous ressentez fort bien sa présence à vos côtés, dites-lui simplement que vous ne voulez plus qu'elle soit près de vous et imaginez-la s'éloigner. Nous intervenons à plusieurs reprises lorsque vous demandez consciemment à une Entité de s'éloigner et qu'elle ne le fait pas, qu'elle insiste. C'est nous qui prenons la relève et, croyez-nous, elle a à écouter ! C'est notre rôle aussi. Nous agissons toujours pour l'unité, pour leur collectivité, pour que ce soit plus rapide. Toutefois, il arrive que certains d'entre vous leur demandent de s'éloigner mais n'y mettent aucune foi, aucune volonté profonde. Lorsque cela se produit, nous ne pouvons intervenir. Demandez toujours avec foi, dans le sens d'obtenir un résultat ; visualisez surtout et vous aurez. Si vous n'utilisez que les mots, rien ne se passera.

Dans ce cas-là, on peut encore se servir de la visualisation. Mais la personne dont je vous parlais est vivante. Ma question porte sur l'éducation qu'on a reçue de nos parents. Comment se libérer de certaines choses ?

Cela simplifie la vie si vos parents vivent toujours. Rien ne vous empêche d'avoir une bonne discussion avec eux. Vous aurez

beau réunir dans une même pièce 100 000
personnes n'ayant que des pensées d'amour,
cela ne changera pas votre monde. Mais si
ces mêmes personnes vont dans les rues,
discutent, donnent des exemples, font en
sorte de démontrer leur amour, cela changera les autres. Cela ne peut se faire seulement avec les pensées de vos formes, pas au
stade de votre évolution actuelle du moins.
Vous, vous transmettez avec la parole
actuellement, vous devez donc utiliser ce
moyen. *(Alpha et omega, III, 18-08-1990)*

*Avec les conflits qui se passent dans
nos familles, comment arriver à
être en harmonie et à vivre ces conflits sans
que cela nous touche ?*

Conflit veut dire une chose : mésentente.
Vous accordez tellement de valeur à vos
individualités, à vos vies, vous leur attribuez
tant de valeur ! S'il vous plaît, donnez-nous
le poids d'une pensée, donnez-nous le
poids ou la dimension d'un souvenir, de
l'amour, de l'image. Cela n'existe pas, mais

vous y accordez tellement de poids, tellement de valeur, que vous basez tout sur
cela, que vous vous rendez malheureux par
des mésententes. Est-ce donc qu'à ce point
de vos vies vous ignorez réellement votre
amour-propre ? Tout cela n'est que pour
vous mettre à l'épreuve. Combien de fois
ne vous êtes-vous pas rendu compte qu'une
fois les problèmes passés, « il n'y avait rien
là ! », que les problèmes étaient trop souvent exagérément grossis. C'est un fait,
vous savez. Vous rajoutez tellement de
valeur à tout cela que, lorsque vient le
temps de quitter ce monde, vous vous
apercevez qu'il n'y avait rien dans cela.
Pour mieux répondre encore à votre question, nous observons très régulièrement
des formes qui viennent d'apprendre
qu'elles vont mourir. La première réaction
qui suit le découragement est très simple :
elles se demandent pourquoi cela leur
arrive. Elles regardent ensuite ce qu'elles
ont vécu pour s'apercevoir que leurs problèmes n'étaient que dans leur tête, pas
dans les faits. Vous allez dire : « Mais j'ai

des problèmes qui sont réels dans ma famille. » Les voulez-vous ? Les acceptez-
vous ? Si vous ne les acceptez pas, c'est qu'il
faut apprendre à dire ce que vous êtes, à
donner aux autres votre version de la vie. Si
ce n'est pas accepté, c'est qu'il faut changer.
Vous aurez toujours à vos côtés les gens que
vous allez attirer. Le plus beau dans cela,
c'est que vous le savez déjà puisque vous
dites : qui s'assemble se ressemble. Et pourtant, vous le dites tous souvent. C'est acquis
dans vos pensées, mais pas dans vos faits. Si
vous n'acceptez pas les problèmes, si vous
n'acceptez pas les gens qui ne vous aiment
pas et que vous restez avec eux, c'est que
vous vivez avec des gens qui ne s'aiment pas
eux-mêmes. Vous tenterez de les changer en
vous changeant vous-mêmes, en démontrant
que votre vie vaut beaucoup plus qu'un
problème. En démontrant votre force de ne
pas voir les problèmes et d'être heureux malgré cela, vous vous ouvrirez, mais cela aussi
ouvrira les gens autour de vous et ils auront
alors le choix d'accepter ou de refuser. Tant
mieux s'ils acceptent, vous changerez tous

dans l'amour, ensemble, ou tout au moins dans la compréhension. Si ce n'est pas le cas, vous pourrez toujours pleurer face à un mur qui ne vous entend pas, vous y cogner la tête et y revenir jour après jour, comme dans votre quotidien. Combien d'entre vous se sont rendu compte qu'ils n'aimaient pas leur travail et y vont tout de même ? Vous direz : « Il faut bien vivre. » Mais vous êtes-vous rendu compte qu'il y en a d'autres qui vivent et qui ne font pas ce que vous faites ? Ne demandez-vous pas trop à vos formes en exigeant qu'elles rapportent ? À quel point exigez-vous de vous-mêmes, face à vous-mêmes ? *(Renaissance, I, 14–09–1991)*

Dans une relation de couple, si on doit faire un choix face à la belle-famille qu'on accepte plus ou moins et que cela fait problème dans le couple...

Jusque-là, c'est une remarque.

Comment arriver à vivre tout cela sans briser le couple ?

Vous parlez du problème de deux personnes qui vivent ensemble ou des réactions des gens qui vivent autour d'eux ?

De tout cela.

Vous voulez un bon conseil ? Ceux qui vivent autour de vous, foutez-vous-en parce que c'est vous qui allez vous rendre malheureuse pour eux et, bien souvent, ils s'en foutent. S'ils vous respectaient, ils respecteraient vos choix. Regardez comment vous vivez. Est-ce mieux ainsi ?

Non.

Quel est le plus grand problème que vous ayez ? Que les autres écoutent bien !

M'affirmer.

Tout à fait ! L'affirmation. Si vous ne vous affirmez pas, que se passe-t-il ? C'est ce qui se passe actuellement d'ailleurs.

Je me renferme et je suis malheureuse.

Vous subissez. Vous subissez les réactions des autres. Que se passera-t-il, selon vous, si vous continuez d'agir ainsi pendant encore plus de cinq mois ?

Je ne me retrouverai plus.

Et si vous ne vous retrouvez plus, que se passera-t-il ? Que les autres écoutent ! Vous allez apprendre ; c'est du vécu, si vous ne le saviez pas.

Malgré moi, ce serait la fin.

Tout à fait ! Et si vous n'avez pas le courage de réagir, que se passera-t-il ?

Cela va être la fin de toute façon.

Tout à fait. Votre forme va prendre la relève. Est-ce que cela en vaut la peine ? Vous êtes tous tellement portés à vivre le

quotidien actuel sans penser aux conséquences. Correction : vous y pensez à la
maladie, mais vous ne voulez pas vous y
rendre tout en sachant que vous allez vous
y rendre ; cela s'appelle un délai. Il n'est
pas facile d'accepter sa vie lorsqu'on n'arrive pas à faire comprendre sa place.
Pleurer ne change rien ; et se fâcher ne
changerait rien à la situation non plus,
même pas un brin. Vous appelez cela une
belle-famille ?

Je ne l'ai jamais aimée, je pense.

Changez donc ce terme. De toute façon,
ces gens vous ont toujours ennuyée. Ce qui
importe ici – nous savons qu'il y en a qui
ont les oreilles très aiguisées actuellement –
ce n'est pas la belle-famille, même pas ceux
que vous appelez des amis et qui n'en sont
pas. L'important, c'est ce que vous faites de
votre vie, du courage que vous aurez à
envoyer promener ceux qui ne vous regardent pas, ceux qui voudraient que vous
soyez différents, que vous soyez une bonne

à tout faire. Regardez ces cinq dernières
années... Regardez bien cela. Vous l'avez
dans votre tête ? Que diriez-vous que sera
votre situation dans cinq ans si cela continue ?

Catastrophique.

Dans 10 ans... avec l'accumulation des cinq
premières années ?

Pire, je pense.

Et dans 20 ans, avec l'accumulation de 20
années comme vous êtes aujourd'hui ?

Cela fait peur.

Vous allez, dans votre tête, reculer 20 ans
en arrière... avec vous, il faut reculer beaucoup. Vous souvenez-vous où vous étiez ?
Concentrez-vous davantage, foutez-vous
des autres, c'est cela que vous devez apprendre. Concentrez-vous un peu ; les autres
pourront aussi prendre cette méthode.

Trouvez une journée où vous avez été
heureuse pleinement. Le visualisez-vous
très clairement ?

Oui.

Respirez deux ou trois bons coups, question de sécher vos yeux. Vivez cela pleinement cn vous. Êtes-vous sûre que vous êtes
très heureuse ?

Non.

Nous non plus ! Nous vous demandons de
vivre cette journée pleinement dans votre
tête. Cela veut dire de vous asseoir bien droite
aussi. Ressentez cette journée très clairement
en vous. Où êtes-vous actuellement ?

Dans la rue.

Quelle température fait-il ?

Il fait soleil.

Avec qui êtes-vous ?

La voisine d'en face.

Vous la voyez très clairement ? Elle vous fait pleurer ?

Non.

Elle vous fait rire ?

Oui.

Tentez donc de reproduire cela en vous. Vous entendez sa voix ?

Non.

Continuez de vous concentrer un peu plus. Vous avez cela ?

Oui.

Très bien. Y a-t-il des nuages ?

Non.

C'est très ensoleillé ?

Oui.

Souriez un peu plus que cela. Reprenez cette même journée, c'est cela que nous voulons que vous viviez. Continuez cela, forcez-vous à le faire. Nous voulons que vous le viviez pleinement. Est-ce un peu plus drôle ?

Oui.

Regardez donc la personne à votre droite et demandez-lui si elle perçoit que c'est drôle ? [rires] C'est moins pire, vous voyez ? Vous avez bien cela en vous ?

Oui.

Vous vous sentez bien ? Pas le goût de pleurer ?

Non.

Vous avez le goût de rire ?

Oui.

Pensez à ce que vous vivez aujourd'hui tout en gardant cette position heureuse. Quel serait votre commentaire ?

Moche !

Et quel serait votre commentaire sur la journée que vous avez mentionnée ?

Bien !

Vous avez le choix ! Vous avez pleinement le choix de vous compliquer la vie ou de vous la rendre heureuse. Vos formes ont vécu des jours heureux, des jours que vous avez aimés. Comment pouvez-vous accepter de vivre des vies comme les vôtres actuellement... comme la température ?

Rendez-vous compte que vous avez deux choix, pas plus que cela, comme dans la majorité des décisions de vos vies. Dans votre cas, comme dans celui des autres aussi, vous avez le choix de vivre ce que vous vivez actuellement, de planifier de le subir pendant 20 ou 30 ans avec des formes qui ne vont très certainement pas l'accepter et d'apprendre à vous diminuer, ou au contraire de vous dire : « Très bien, je comprends ma leçon. Je comprends là où je suis et c'est fini, c'est terminé. Merci, j'ai compris ». Encore une fois, ce n'est pas en pleurant que vous aurez une solution, mais en acceptant de vous tenir droite face à vous-même en premier et d'avoir le courage de vos opinions, d'avoir le courage d'être vous-même, de vous ressentir unique, originale, et non pas une copie. Actuellement, vous ne savez même plus où vous en êtes. Où cela va-t-il vous conduire si vous ne prenez pas vous-même la direction de votre vie ? Nulle part ! C'est ce que nous vous disions dès le début de cette session. Ne tentez donc pas de rendre les autres heureux dans vos décisions, car vous allez vivre pour les autres au lieu de vivre pour vous-même. Vous vouliez un bon exemple d'égoïsme ? C'est tout le contraire de ce que nous venons de dire. L'égoïsme, c'est aller vers les autres et non vers soi ; c'est vouloir faire plaisir aux autres par-dessus tout et passer en second. L'égoïsme dont nous vous parlons, nous, s'appelle l'amour-propre, c'est décider de sa vie, pas de celle des autres. Vous avez tous tellement été portés à vivre pour les autres ! Qu'avez-vous fait pour vous-mêmes ? Une question pour vous : à quand remonte la dernière fois que vous vous êtes fait vraiment plaisir ?

Tellement longtemps.

La dernière fois que vous avez fait plaisir à quelqu'un d'autre ?

Aujourd'hui.

Vous trouvez cela normal ? Allons, réveillez-vous ! Brassez-vous un peu, secouez-vous ! Jamais vous ne serez heureuse comme cela, ni vous ni les autres. À faire plaisir aux autres, vous vous mettez de côté et les autres vont croire faussement que vous êtes heureux. Ce n'est pas cela vivre. La journée où cela n'ira pas, les autres ne le comprendront pas ; ils vont croire que vous avez joué un faux jeu, un faux rôle. Être franc avec soi, être honnête avec soi, c'est penser à soi aussi. Voici ce que nous allons vous donner comme exercice. Tous les matins – les autres peuvent le faire aussi s'ils le veulent –, dès que vous serez con-sciente, vous allez vous dire : « Très bien, aujourd'hui, qu'est-ce que je peux faire pour me faire plaisir ? » C'est la seule chose que nous vous demandons de faire et cette fois vous allez le faire. Le lendemain, faites la même chose ; dites-vous : « Que puis-je faire aujourd'hui pour me faire plaisir ? » Vous verrez. Si vous vous faites vraiment plaisir, votre attitude changera, la vôtre et celle des gens qui vous entourent.

Il vous faut réapprendre à vivre, cesser de
subir. Vous avez eu des crucifix devant vos
yeux tellement longtemps que vous avez
cru qu'il vous fallait aussi être crucifiés
pour ressusciter. Foutaise que cela ! Nous
trouvons qu'il y a bien d'autres façons de
mourir. Mais certains se crucifient psychologiquement tous les jours comme s'ils
devaient justifier leur vie. Cela suffit !
Vous avez toutes les chances – pas une
seule personne n'y échappe ici – d'être
heureux, toutes. Vous ne vivez pas de
guerres, vous ne vivez pas sous des dicta-
tures, vous pouvez vous procurer pratiquement tout ce que vous voulez, il n'y a
aucune limite sur la nourriture et, avec tout
cela, vous trouvez le moyen de ne pas être
heureux. Qu'est-ce qui se passe ? Vous
avez toutes les chances de vous instruire à
tous les niveaux de la soi-disant spiritualité.
Seriez-vous si gâtés qu'il vous faut justifier
ce bonheur que vous n'arrivez pas à atteindre ? C'est tout de même incroyable, ne
croyez-vous pas ? Vous devrez vous faire
plaisir, sinon vous devrez attendre que

quelqu'un vous soigne. Ce n'est pas ce que
nous vous souhaitons, à personne d'ailleurs. Ayez le courage de vos choix ! Ce
que vous appelez la belle-famille n'en est
pas une et elle ne le sera pas davantage une
fois que vous aurez fait vos choix, mais au
moins vous serez bien dans vos décisions.
Vous êtes écartelée entre deux familles
actuellement. Il y en a d'autres ici dans la
même situation. C'est une autre forme de
torture. Rejetez cela, vos vies valent beaucoup plus que cela. Encore une fois, ce
n'est pas en rendant les autres heureux que
vous allez être heureux ; ce sera tout le
contraire. Vous allez apprendre à vous
mettre de côté et à passer en second. Cela
a été montré à vos mères il y a moins de
30 ans. Le sacrifice d'une mère, vous avez
tous connu cela ; ces mères qui passaient
en second. Vous avez foutrement bien
appris ! Nous ne vous disons pas de ne pas
nourrir vos enfants ; ce n'est pas à ce
niveau que nous parlons. Nous voulons
dire que, psychologiquement, nul ne peut
vivre en se mettant de côté. Songez-y.

Des raisons de porter une croix, il y en a
des millions. Après en avoir trouvé une,
vous en trouverez une autre, et ainsi de
suite ; mais lorsque vous en aurez assez,
déposez les planches et les clous ; c'est ce
que nous vous souhaitons. *(Nouvelle ère, II,
23-03-1992)*

*Quand une famille vit dans une
même maison où il n'y a pas d'harmonie, qu'est-ce qui arrive au niveau du
langage des formes, entre les formes ?*

Elles font tout pour s'éloigner ; elles feront
tout pour s'éloigner l'une de l'autre. Au
début de cette session, qu'avons-nous dit
qu'il se produisait après un chaos ? Le
chaos, c'est l'anarchie, c'est la dysharmonie.
Qu'est-ce qui se passe après cela ?

C'est l'équilibre.

N'est-ce pas ? Et quelle différence y a-t-il
entre un chaos entre peuples ou dans un
univers, et un chaos dans une famille ?

Il n'y en a pas.

Il n'y en a pas. Et que faut-il faire pour que cela cesse ? Il faut cesser de l'alimenter, il faut cesser de le vivre, sinon vous attirerez tout ce qui ne va pas autour de vous. Et lorsque vous commencez cela, croyez-nous, vous trouvez preneurs. Vous souvenez-vous comment nous avons exprimé le succès ? Nous l'avons mentionné à quelques reprises dans cette session. Souvenez-vous de cela. Vous vous rendrez compte que ce n'est pas toujours de la faute de ceux qui réussissent s'il y a du succès en eux. Ne dites-vous pas que le succès attire le succès ? Mais d'où vient-il ?... Nous avons abordé les mondes parallèles de ceux qui ont réussi, qui peuvent vous aider. Il s'agit d'écouter et de prendre aussi la chance lorsqu'elle se présente. Mais le contraire est aussi faisable. Vous pouvez attirer des formes vivantes auprès de vous actuellement qui, elles, n'ont pas connu le succès, mais qui vous encourageront dans la même direction : semer et récolter. La dysharmonie, ça n'existe que lorsque vous

voulez la rendre consciente. Faites l'effort de
ne pas y penser et vous éloignerez ces forces
de vous. Mais tentez d'imaginer une seule
seconde que vous êtes dans votre forme, que
vous êtes l'Âme dans votre forme et que
vous êtes manipulée comme cela ; comment
vous sentiriez-vous ?

Je n'ai pas compris le sens de la question.

Vous êtes l'Âme vous-même ; entrez dans
votre forme et regardez votre quotidien.
Comment vous sentiriez-vous à sa place ?

Déçue.

Et que faites-vous lorsqu'une personne est
déçue ?

Je ne sais pas.

Pensez-y bien... Que feriez-vous pour ne
pas vous décevoir ? Pensez à sa place...

Faire des changements ?

C'est déjà un bon départ, mais à l'intérieur de vous, dans votre façon de voir, de vous voir. Nous avons répété des centaines de fois : l'unicité dans la dualité que vous êtes. Qu'est-ce que cela voulait dire ? Vivez seul et vous serez seul, mais vous ne serez jamais seul si vous comprenez que vous êtes déjà deux ; et nous pourrions dire : vous êtes déjà trois. C'est cela qu'il faut vivre. Brisez le cycle actuel, faites-vous un peu plus plaisir, cessez de regarder les ravages et vous vous verrez. Des changements ? Il y en aura certainement, mais peut-être pas dans le sens que vous les avez imaginés cependant. Le chaos dans votre monde humain actuel, c'est beaucoup plus dans la parole ; et l'harmonie est beaucoup plus dans le silence. Prenez le temps d'entendre en vous. Elle est déçue ? Réconfortez-la, faites-lui voir une chance qu'elle aurait d'être avec vous. En d'autres termes, il est grand temps que vous appreniez à vous convaincre que vous vivez et que vous avez un but à atteindre. Si vous ne le faites pas, vous ne l'aurez pas. Cependant, vous avez de bonnes chances de réussir. *(Les chercheurs d'étoiles, III, 17–11–1996)*

S i l'Âme aide la forme, comment se fait-il qu'on voit certaines familles où se sont groupées ensemble des formes qui sont toutes dures, c'est-à-dire que ça va mal, que les enfants sont gâtés, etc. Est-ce que les Âmes ont choisi de mauvaises formes ?

Nous avons répondu à cette question à plusieurs reprises. Nous avons dit que les Âmes ont perdu le contrôle des formes et nous avons souvent répété : qui se ressemble s'assemble. Si ces gens apprennent à vivre dans le malheur et y trouvent du bonheur, c'est ce qu'ils sont à apprendre. Rappelez-vous toujours que la dimension des uns n'est pas nécessairement celle des autres. Soyez seulement heureux de ne pas être avec eux ; c'est leur réalité, pas la vôtre. Ce qu'ils auront à apprendre dans cela sera leur leçon de vie et si cela peut vous aider à ne pas faire d'erreur, tant mieux. *(Harmonie, IV, 16–02–1991)*

E st-il possible qu'un enfant aille jusqu'à être malade pour permettre à ses parents de dépasser leur niveau de compréhension. Si oui, est-ce que son Âme aurait choisi cela à sa naissance ?

Foutaise que cela ! L'Âme ne choisit pas une forme pour ce qu'elle pourra faire subir aux autres ! Ce n'est pas cela le but. Par contre, il y a, chimiquement, dans certaines formes, des déséquilibres. Mais cela finit par plaire à ceux qui le vivent parce que c'est leur vie, leur choix. Cela devient aussi invivable pour les autres à leurs côtés. Et ces gens doivent faire des choix pour l'autre parce que, si cela ne se fait pas, cela devient invivable. Cela vous fera partir dans une autre direction dans votre propre vie et finira aussi par vous étouffer dans vos craintes, étouffer dans vos peurs de laisser l'autre. Et cela vous changera à un point tel que vous ne serez peut-être plus vous-même non plus. Vous pouvez en déduire que cela vous amènera dans d'autres compréhensions, si cela peut vous arranger. Mais ce n'est pas le fait. Le fait est que ce que vous avez à vivre actuellement vous amènera à vivre de l'invivable dans quelques

effet, ce sont les seules fois que vous avez tous fait des efforts magistraux pour revenir vers vous-mêmes et vers ceux que vous aimez. Lorsque vous perdez quelqu'un que vous aimez, et si cette personne a souffert, vous dites : « Elle sera bien mieux là où elle est ! » Vous entretenez tous en vous des espoirs mais vous ne les continuez pas. Vous les ajustez à vos quotidiens selon ce qui vous arrange le plus. Certaines personnes apprennent avec de tels événements car, même s'ils ne sont pas planifiés par nous, ils font leur effet lorsqu'ils se produisent. D'autres réagissent en se tournant vers la colère, pour revenir ensuite vers l'amour. Pourquoi la colère ? Parce qu'ils se blâment d'avoir laissé cela se produire. Donc, il y a toujours un résultat. Si cela ne vous arrive pas, si cela arrive à quelqu'un que vous aimiez, regardez ce qui a manqué ; regardez l'intensité de l'amour que vous aviez. Était-ce seulement dans votre tête ou vers ces gens ? Si vous voulez que quelqu'un vous dise qu'il vous aime, il faut peut-être apprendre à le dire vous-même ? Comme cela, cela vous sera dit. N'oubliez pas ce qui suit : comme il vous faut répéter pour apprendre, et pour tout ce que vous voulez apprendre, faites-le souvent. La journée où vous apprendrez à le dire dès que vous le ressentirez, vous vivrez cet amour et ceux qui sont autour de vous le vivront. *(L'envolée, II, 19-09-1992)*

Vous disiez tantôt que, quand il y avait la perte d'un enfant, l'enfant le faisait...

Ou de tout être aimé.

Ils le font par amour. Comment un enfant peut se suicider et que ce soit par amour envers les parents ?

Par connaissance de la vie. Vous êtes-vous déjà demandé, sans comprendre les faits, ce qui porte une personne au suicide ? Sans comprendre les faits, sans vouloir analyser les raisonnements, à votre avis ?

J'ai essayé de ne pas analyser, de ne pas vouloir comprendre.

Les gens qui font ce point trouvent habituellement plus de raisonnement et d'amour en eux-mêmes que dans ce qui les entoure. Et lorsque ce choix n'est plus faisable, ils se choisissent ; et c'est comme cela qu'ils en viennent à s'enlever la vie.

Vous parlez du milieu familial ?

De tout autre niveau ressenti de la vie. Ce n'est pas la facilité qu'un être humain aura autour de lui ou d'elle qui fera la différence. Ce n'est pas l'attention, ce n'est pas l'amour qu'il recevra, mais la décision intérieure du global des ressentis. Et cela ne peut pas s'analyser. C'est pour cela que vous ne comprendrez jamais les gens qui font ces gestes. C'est parce qu'ils ont fait un geste intérieur profond qui ne s'explique pas et qui est illogique pour ceux qui voient tout cela. Seulement pour bien vous faire comprendre... *(L'aube enchantée, III, 16-11-1997)*

*Q*uelle est notre responsabilité en tant que couple vis-à-vis des enfants ?

Votre seule responsabilité, c'est de les aimer, de ne pas leur faire subir ce que vous subissez. Vous croyez que les enfants ne ressentent pas cela ? Vous vous trompez. Jusqu'à quel point pourront-ils endurer cela physiquement ? Psychologiquement ? Quel exemple leur restera-t-il d'un couple qui a fait des efforts pour se retenir ensemble, pour ne pas vivre dans la paix ? Les efforts. Savez-vous ce que cela va faire ? Ils n'en voudront pas de ces efforts, ils n'en voudront pas ! Qu'est-ce qui vaut mieux ? Leur faire subir cela ou justement leur montrer qu'il y a des possibilités d'épanouissement dans la vie, des possibilités d'être soi-même au-delà de ce que les autres voudraient vous voir faire ? C'est toute une leçon de vie ! Cela implique que l'un prenne plus de responsabilités que l'autre, ce qui veut dire moins de temps libre. Mais il ne s'agit que de mesure intellectuelle, pas

de réalité. Il y a beaucoup à apprendre
dans votre seule question. Ce n'est pas en
s'imposant une situation qu'on règle quoi
que ce soit. Tout au contraire, cela vous
modifie vous-même. Si vous endurez une
situation donnée et que cela change même
votre tempérament, votre caractère, ce sont
ceux qui vivent à vos côtés qui en subissent
les contre-coups, et cela les change aussi.
Personne n'a réussi sans risque, pas même
cette forme devant vous [Robert]. Donc,
que peut-il vous arriver d'autre ? Courez au
devant des risques plutôt que de les fuir.
C'est comme cela que vous allez avancer,
que vous n'aurez pas la sensation d'être
toujours à la même place, et vous serez
encore plus fière de vous. Vous comprenez
cela ?

Oui. *(L'envolée, I, 15–08–1992)*

*A**vec l'éclatement des familles qu'on
connaît actuellement, quelle est la
meilleure attitude à avoir avec des enfants
qui sont rejetés par l'un ou l'autre des*

parents, pour qu'ils soient le moins hypo-
théqués possible ?

En nous basant sur ce que nous avons
observé chez la majorité, il y a surtout deux
réactions. Dans certains cas, l'un des parents garde l'enfant ou les enfants, alors que
l'autre retrouve sa liberté. Dans d'autres
cas, les enfants sont gardés de force chez
l'un et ne sont pas souhaités chez l'autre.
Donc, si vous êtes déjà dans cette position,
devriez-vous donner l'enfant ou l'élever de
force ? Devriez-vous lui faire sentir qu'il est
un poids, une obligation, jusqu'à ce qu'il
quitte le foyer dès qu'il en aura l'âge ? Il
n'est pas facile de répondre parce que votre
question est très individuelle. Tout dépend
de ce que ces personnes auront souhaité les
unes pour les autres. Comprenez-vous
mieux par contre, lorsque nous vous disions
un peu plus tôt dans cette session, que
mieux vaut ne pas avoir d'enfant lorsque
l'enfant n'est pas souhaité des deux parte-
naires, lorsque l'amour n'est pas partagé à
ce point ? Nous vous l'avons dit, dans un

couple, personne ne peut forcer l'affection
de l'autre en ayant un enfant. Oubliez cela.
Un jour ou l'autre, cela ne fonctionnera pas.
Votre question découle d'un choix qui
aurait pu être fait bien avant. Dans les couples où cela ne va plus, il y en a toujours un
qui peut reprocher à l'autre quelque chose
et, lorsque les enfants servent de tampon,
c'est que vous les oubliez. C'est aussi simple que cela. Parce que c'est vous qui vivez
la séparation, pas eux. Eux, ils la subissent.
(Le fil d'Ariane, II, 19–10–1991)

*Qu'est-ce que vous pensez, dans la
société actuelle, de la garde
partagée pour les enfants ?*

Nous avions entendu la guerre partagée ! Il
s'agit de diviser une part d'amour entre
deux. Ce que nous en pensons, c'est que
vous n'en avez pas vraiment le choix. Si
c'est vécu aussi de façon partagée et que les
deux ex-conjoints s'entendent pour ne pas
donner leur amour à moitié, s'ils ne pensent
pas que l'autre devrait donner aussi son

50 % en privant ainsi l'enfant de l'autre
50 %, il n'y aura pas de problème. Ce qui
se produit bien souvent, c'est que l'un veut
justifier plus que l'autre l'amour des enfants
dans le but de se les approprier psychologiquement pour le futur. Ce n'est pas un
bon choix. Reste à savoir si les parents qui
agissent ainsi auront le courage de dia-
loguer avec leurs enfants pour savoir ce
qu'ils vivent vraiment, pas une fois par deux
ans, mais tous les mois s'il le faut. Vous
savez très bien que les enfants ne veulent
pas déplaire à leur mère, ne veulent pas la
faire pleurer. Donc, ce qu'ils vivent n'est
pas facilement exprimable. Lorsqu'une
séparation a lieu, c'est de l'insécurité que vit
un enfant, pas tant de l'insécurité émotion-
nelle que de l'insécurité personnelle, au
niveau de sa vie. Manquera-t-il de soins,
d'argent pour s'habiller, de nourriture ?
Est-ce que son père l'oubliera ? Est-ce que
sa mère se vengera en lui donnant moins
d'affection ? Mille questions pourraient
surgir dans sa tête. Si vous ne les faites pas
ressortir, si vous n'apprenez pas à ces

enfants à s'exprimer clairement, il est à prévoir qu'ils développeront de l'oubli pour eux-mêmes et seront portés à faire la même chose puisqu'ils croiront qu'il n'est pas utile de vivre à deux pour être heureux.

Si je comprends bien, vous pensez que c'est la solution la moins pire.

Vous êtes très clairvoyante ! Ceux qui se séparent ne le font pas toujours parce qu'ils aiment cela, mais parce qu'ils ne veulent plus vivre ce qu'ils vivent. Donc, ils ont deux choix. Ils peuvent s'efforcer de vivre dans le malheur individuel, dans la tolérance, jusqu'à ce que les enfants vieillissent ; c'est ce que vos parents ont fait en majorité et c'était une bêtise dans le fond parce qu'ils ont fait le sacrifice de leur propre vie et donc de l'expérience générale qu'ils avaient à vivre. Ils peuvent aussi partir chacun de leur côté, partager leurs responsabilités, mais sans oublier de garder le lien qu'ils ont créé cependant. Cela veut dire de l'entretenir constamment, deux fois plus qu'avant parce que ce que les enfants ignoraient dans le passé, maintenant ils le vivent. *(Diapason, IV, 06-06-1992)*

Vous parlez de rejet, de ceux qui rejettent leurs enfants, mais dans le cas des divorces...

Mais le divorce n'est-il pas un choix ? Un divorce n'est-il pas la même chose que de choisir une naissance ? Les divorces, comme dans plusieurs des cas que nous avons observés, ne sont-ils pas aussi une forme de choix de vivre chez les gens qui se sont étouffés entre eux, qui n'arrivent pas à s'exprimer, qui avaient fait des choix qui n'étaient pas aussi conscients que leur choix de se séparer ? Nous avons dit plusieurs fois dans des sessions passées que vous êtes le seul peuple de l'Univers à faire un contrat d'union. Lorsque vous vous mariez, lorsque vous vous épousez, vous signez un contrat en bonne et due forme. Vous ne faites même pas cela pour une

naissance, et vous le faites pour vous unir !
Est-ce donc que vous n'avez pas la foi entre
vous, que vous n'avez pas tout à fait la
certitude que cela fonctionnera ?   Est-ce
pour vous le rappeler que vous signez tout
cela ?   Est-ce la même chose qui fait que
vous acceptez aussi « le pire » au travers de
tout cela ?   Cela devrait être uniquement
pour le meilleur.   Et si c'est pour le
meilleur, pas besoin de signature, faites-le !
Donc, les divorces sont très souvent pour
les gens une façon d'accepter de vivre. S'il
n'y avait pas autant de contrats signés, il y
aurait moins d'obligations. Moins d'obligations, plus de liberté d'aimer !   Imaginez
ceux qui ont commencé à moins s'aimer et
qui ont un contrat de signé... Quelle joie ils
auront de relire cela !   Et en plus, vous
prenez des témoins. N'est-ce pas ridicule ?
Peut-être est-ce pour vous le rappeler,
surtout que c'était pour le pire. Ceux qui
choisissent de se séparer sont très souvent
ceux qui ont choisi de vivre d'une façon différente. Qui d'entre vous peut se vanter de
planifier sa vie avant le temps ? Vous n'avez

aucune assurance de vivre plus de 24
heures à la fois. Peut-être allez-vous tous
mourir dans une heure, qui sait ? Vous
n'avez aucune assurance sur la durée de
votre vie. Donc, pourquoi ne pas profiter
de chaque instant ? Votre contrat, vous
devriez le brûler. Ce serait beaucoup plus
simple. De toute façon, ceux qui ne le font
pas finiront pas se brûler eux-mêmes. [rires]
Bien sûr, c'est jouer sur les mots, pas la réalité. Et pour plusieurs ici, cela leur brûle les
lèvres... Avons-nous répondu à cette question à travers toutes ces blagues ?

*Est-ce que les enfants peuvent voir comme
un rejet le fait que leur père s'en va ?*

Mais tout à fait. Qui fait les enfants ? Deux
adultes, un homme et une femme d'habitude... oh ! pas d'habitude puisqu'il y aura
des naissances différentes avant longtemps.
Habituellement, lorsque cela se fait dans la
joie, du moins nous l'espérons, lorsque cela
se fait et que vous en avez profité, vous
étiez deux. Nous avons dit plus tôt dans les

réponses précédentes que ce n'était pas la
forme qui choisissait ses parents, que vous
n'aviez pas choisi vos parents, mais que ce
sont eux qui avaient choisi de vous créer.
C'est donc que vous avez une double per-
sonnalité en vous, une double partie réelle,
double identité. Cela ne peut pas se renier,
cela ne peut pas se rejeter. Lorsque vous
êtes en âge de vivre et de percevoir vos parents, vous les percevez tous les deux. Selon
une question précédente, pas toujours pour
le mieux parce qu'il y a parfois discorde
chez ceux qui sont pareils. Donc, il faut
accepter de croire qu'un enfant, c'est une
part des deux, c'est autant une responsabilité des deux à créer, sinon ce serait avoir
des formes juste pour le plaisir et ce n'est
pas le but de la vie. Donc, oui, l'enfant peut
se sentir rejeté. S'il ne le fait pas lorsque
cela se produit, il le ressentira 10, 15, 20 ans
plus tard lorsqu'une personne lui dira
qu'elle ne l'aime plus et qu'elle veut vivre sa
vie avec quelqu'un d'autre. Un jour ou
l'autre, cela reviendra dans vos formes. La
naissance d'un enfant, c'est une responsabilité

et une joie. Si cela s'est fait par hasard, mieux vaut l'apprendre rapidement. Mais s'il n'y avait pas d'obligation, ce serait beaucoup plus simple. Nous devons donner à cette forme [Robert], comme à toutes les formes, leur raison de vivre, leur espoir, leur goût, leur joie de vivre. Cela peut se faire seul, comme adulte, comme cela peut se faire à deux ; certains le feront à trois ou quatre, peu importe. Peu importe la façon que vous choisirez d'aimer et de vivre, il y a aussi une responsabilité à procréer. Vous pourrez dire que... Il est vrai que certaines religions ne vont pas facilement dans la direction des explications en vous refusant la jouissance sexuelle, en vous disant que cela ne doit avoir lieu que dans l'amour pour procréer. Nous savons que cela n'a plus grand sens dans le monde actuel avec vos choix. Mais cela en a un dans notre sens, dans le sens des respon-sabilités d'une nouvelle naissance puisque nous ne rions pas avec cela. Il s'agit de choisir non seulement un enfant, mais une nouvelle Âme qui fera ce cheminement avec vous, qui vous donne aussi une possibilité de comprendre l'aboutissement, de comprendre qu'une naissance ou une mort physique, c'est la même chose, c'est le même aboutissement. À vous d'aimer suffisamment pour le comprendre. *(L'étoile, II, 15–10–1995)*

On dit souvent que le côté psychologique influence le physique, que l'enfant souffre de la séparation des parents...

Une simple précision à ce sujet. Un enfant qui souffre de voir ses parents se séparer a d'abord souffert de voir ses parents qui ne s'entendaient pas. Cela ne se fait pas seulement lors de la séparation ; cela se fait avant. De la même manière que la maladie se prépare, la douleur d'un enfant lors d'une séparation se prépare aussi. Donc, avant de penser à l'enfant, il faudrait penser aux adultes qui créent cette souffrance. Ils étaient là bien avant les enfants. Veuillez continuer cette question tout de même.

Est-ce finalement le côté psychologique qui influence le côté physique, c'est-à-dire qui provoque une maladie ?

Mais tout à fait, et bien plus tôt que vous ne le croyez. Rappelez-vous que les enfants perçoivent et vivent les sentiments sans les comprendre. Vous savez tous que les enfants pleurent seulement à voir leurs parents malheureux. Ils ne veulent pas comprendre pourquoi leurs parents sont malheureux, mais ils pleurent parce qu'ils voient et perçoivent la douleur intérieure de leurs parents. Donc, s'ils peuvent percevoir cette douleur, leur forme aussi le perçoit dans l'ensemble. Quant un enfant n'a pas psychologiquement les forces nécessaires pour comprendre, il s'apitoie sur son sort et se ferme à la société, car il voit cela comme généralisé. Effectivement, nous avons observé chez les enfants beaucoup de leucémies reliées à une situation de ce genre. Oh ! nous savons qu'il y a aussi des causes génétiques. Toutefois, il y a des enfants plus sensibles que d'autres et, s'ils

n'ont pas le goût de vivre, ils ne trouveront
pas de moyens pour vivre. Si vous con-
naissiez le nombre réel des suicides
actuellement chez les moins de 12 ans, vous
souffririez. Incroyable ! Un monde aussi
évolué mécaniquement et des gens ayant si
peu de compassion entre eux ! Cela se produit aussi chez les adultes, sauf que les
adultes sont plus lucides, ils savent ce qu'ils
font et ils le font. L'enfant ne le sait pas
toujours, car cela ne lui a pas été montré.
Donc, sa mort changera les parents ; dans
bien des cas même, elle les réunira.
(Symphonie, II, 04–05–1991)

*On parle souvent d'enfants en bas
âge, mais il y a les enfants plus
âgés, dans la vingtaine, qui eux aussi souffrent de la séparation de leurs parents.*

Il y a des gens qui se séparent à 70 ans et
qui souffrent aussi. C'est aussi une possibilité. La cause est la même et le résultat est
le même. Toutefois, une personne de 70 ans
dont le conjoint se sépare, qui ne le vit

pas et qui en souffre, met toute sa vie en
jeu. Rendez-vous compte que plus les
formes prennent de l'âge, plus rapides sont
les décès parce qu'elles ont trop d'expérience. Si vous êtes âgés et que vous ne
vous remettez pas d'une séparation, votre
forme voudra en finir rapidement ; elle aura
moins d'endurance étant donné son système immunitaire de plus en plus affaibli
par l'âge. Dans les sessions antérieures,
nous vous avons mentionné que vous aviez
tous le cancer ; pas un d'entre vous ne l'a
pas, à la différence qu'une forme en santé le
détruit à mesure. À mesure qu'elles se produisent, les cellules cancéreuses sont
absorbées. L'enfant ou l'adulte qui souffre
d'une séparation pénalise sa forme, ce qui
donne une chance aux cellules cancéreuses
de se reproduire en plus grand nombre.
L'efficacité du système immunitaire étant
réduite, les cellules cancéreuses finissent
par devenir trop nombreuses pour ses
capacités. Rappelez-vous que ce processus
est plus rapide chez un adulte qui a des
soucis profonds, qui s'en veut et qui se

nourrit mal. Que faites-vous des cas de rémission ? Ceux qui ont le cancer reçoivent pratiquement tous les mêmes traitement ; pourtant, certains meurent et d'autres vivent. Comment l'expliquer ? C'est très simple. Ils ont compris plus que d'autres et ils veulent plus que d'autres ; ils règlent leurs problèmes aussi, ils croient dans la vie, ils veulent vivre et n'attendent pas que les autres les sauvent. Il y a beaucoup de nuances d'un cas à un autre, mais elles sont très minimes. Ne compliquez pas la compréhension de vos formes ; elles sont très simples à comprendre. Nous comprenons aussi le point de vue de ceux qui analysent les formes ; ils vont faire des découvertes pendant plusieurs centaines d'années encore, mais cela ne changera rien à l'ensemble que représente la forme, à sa réalité. *(Symphonie, II, 04–05–1991)*

 e couple qui s'est marié, qui a établi un contrat d'où sont nés des enfants...

Donc des « contractuels ».

Quelle est la responsabilité de ces deux êtres face à leurs jeunes enfants en ce qui concerne le fait de briser ce contrat ?

Quelle est la responsabilité aussi entre les deux de vivre ensemble et de se détester toute leur vie, de se donner des maladies, de rendre leurs enfants malheureux ? Quelle est la plus grande obligation, de faire des efforts d'hypocrisie ou de faire en sorte de se quitter lorsque ces enfants atteindront l'âge de la maturité ? Pouvons-nous vous signaler que votre vie aussi vous quittera ? Vous aurez réellement le sentiment d'avoir raté une grande part de votre vie, de ne pas avoir accompli ce que vous deviez accomplir. Les parents sont toujours responsables de leurs enfants, pas plus la mère que le père, les deux. N'êtes-vous pas deux pour les concevoir ? Si une personne refuse cette responsabilité, il va de soi que la responsabilité en revienne à l'autre. Que les deux parents se battent pour les enfants, c'est la mauvaise solution. Du moins, ce n'est pas comme cela qu'il est possible de recons-

truire en eux une définition de l'amour.
N'oubliez pas que, si vous acceptez de
prendre vos responsabilités, cela vous
demandera plus d'efforts, bien souvent ne
serait-ce qu'au niveau de l'emploi. Mais
prendre vos responsabilités, ce n'est pas
seulement face aux enfants mais aussi face à
vous-mêmes. Cela veut dire vous faire un
grand cadeau, accepter de les prendre pour
vous-mêmes, ce que l'autre n'aura pas fait.
Vous avez plus que du mérite. Voyez tout
ce qui en découlera. *(Maat, III, 13–01–1991)*

Si nous devons aller jusqu'à une séparation, qu'est-ce qui advient des enfants qui souffrent déjà d'être en garderie et qui vivent des séparations en plus ?

Nous allons vous poser cela autrement et
vous pourrez nous reposer la même question si vous voulez. Qu'arrive-t-il dans un
couple qui se voit forcé à cause des enfants
de vivre une relation, en sachant très bien
que ces enfants ne sont pas dupes et qu'ils

perçoivent qu'il n'y a pas plus d'amour ?
Quel choix ont-ils vraiment ? Entre ne pas
être aimés dans une garderie ou être en
sécurité avec leurs parents mais insécures
par rapport à ce qu'ils attendent le plus,
voyez-vous une différence ?

Non.

Nous non plus. Cela veut dire que, si un
des deux décide de faire la séparation, de
quitter l'autre et de donner l'amour à ses
enfants, il a intérêt non pas à gâter ses
enfants mais à leur faire comprendre qu'il a
trop d'amour pour eux pour les laisser
endurer cela. Cela veut dire que, si vous
êtes ce parent, vous aurez à leur donner
deux fois plus. Cela veut dire que l'attention et l'affection que vous n'aviez pas de
l'autre, ce sont eux qui pourraient vous les
donner. Mais cela vient de l'éducation
aussi. Ne dites-vous pas : choisir un mal
pour un bien ? Cela se ressemble. Donc,
dans la question que vous venez de nous
poser, c'est la même chose, sauf que vous

déplacez le mal d'amour et le rendez plus conscient en faisant des efforts inutiles. Plus vous endurez cela, plus vous êtes de ces couples forcés de vivre ensemble par sécurité, plus votre tempérament change, plus votre attitude se modifie, plus vous devenez agressifs lorsque cela ne vous convient pas et plus souvent vous dites à vos enfants ce qu'ils ne veulent pas entendre. Et vous en venez à croire que, si vous n'avez pas droit à cet amour, eux non plus n'y ont pas droit. Et vous n'avez même pas besoin d'y penser ; vos natures humaines sont faites comme cela, surtout lorsque vous ne choisissez pas. *(L'essentiel, I, 29–08–1992)*

Qu'advient-il des enfants de parents divorcés ; ils sont très malheureux au début, mais par la suite ?

Premièrement, il faudrait changer vos termes. Quand vous employez le mot divorcés, cela veut dire séparés, éloignés. Si vous disiez au contraire : qui ont choisi de vivre une vie différente...

*Est-ce que ce sont les enfants qui auraient
choisi de vivre une vie différente ?*

Oh ! vous savez, bien souvent ils n'auraient
pas choisi de vivre si cela avait été possible.
Très souvent, la séparation leur est imposée ;
c'est souvent une surprise. Regardez les gens
qui vivent, que vous voyez tous les jours et
qui décident pour le meilleur, et surtout le
pire, de vivre ensemble en acceptation des
faits et des causes. Lorsqu'ils le décident
avec beaucoup d'amour, ils ne pensent pas
que cela se terminera dans un an, six mois,
10 ans, 15 ans, n'est-ce pas ? Pour eux aussi,
ce sera une surprise si cela se produit un
jour. Donc, imaginez, si c'est une surprise
pour les parents, comme ce l'est aussi pour
l'enfant. Il y a quelques secondes, nous
avons parlé de la force d'union qu'il y avait
dans l'énergie d'une Âme et celle d'une
forme. Nous avons dit que vous étiez tous
reliés. Lorsqu'un enfant qui n'a pas l'expérience de la vie et qui vit une dimension qui
lui est très plaisante se sent séparé, lorsqu'il
sent une partie de lui-même qui le quitte, il

ne peut tout de même pas s'en réjouir ! Les parents auront beau combler par des cadeaux, cela restera. Ce qui n'est pas expliqué, c'est le rôle que les parents devraient jouer lorsqu'ils choisissent le divorce. Vous accordez beaucoup plus d'attention aux séparations des biens et des obligations. C'est cela qui prime dans une séparation, ces mêmes discussions. L'enfant, lui, vous dirait que c'est une question de garde, un question de choix : tantôt l'un tantôt l'autre ou, s'il y a de l'entêtement, seulement d'un côté. Mais cela vient très souvent en deuxième, après les arrangements pécuniaires. Ce n'est pas cela qu'il faut comprendre. Lorsqu'un couple qui a des enfants se sépare, c'est une double séparation pour chacun des enfants. C'est aussi une part d'eux-mêmes qui prend un autre côté, même si vous n'en êtes pas conscients. Mais aucun parent n'a la certitude que cela se développera pour le mieux. C'est pourquoi nous avons mentionné que, dans le futur, dans quelque 150 à 200 de vos années, une naissance ne sera pas chose d'un couple, mais un choix de société, un choix de soutien complet de la société parce que ce sera beaucoup plus rare. Quelques-uns ont ri lorsque nous avons mentionné qu'un enfant se faisait à deux, mais ce ne sera pas toujours comme cela, vous savez. Avant peu, les choix se feront aussi sur commande, et vous en aurez tous conscience de votre vivant, et cela continuera de se développer. *(L'étoile, II, 15-10-1995)*

Vous avez dit que, quand on se marie et qu'on décide d'avoir des enfants, c'est un choix et que cela devient une autre cellule. Qu'on soit quatre ou cinq, c'est la même cellule familiale. Qu'est-ce qui arrive quand on la fait éclater par un divorce ? Même après l'avoir mûrement réfléchi et même si on est bien avec ce choix, qu'arrive-t-il de cette cellule surtout si un des parents rejette les enfants ? Pouvez-vous nous en parler un petit peu ?

Est-ce que vous parlez d'un membre unique d'une famille qui décède ?

Non.

Vous parlez de divorce entre des gens qui continuent de vivre ?

Oui, mais dans le cas où des parents rejettent les enfants, même dans l'éloignement, qui ne prennent plus contact avec les enfants.

Tout cela est bien malheureux puisque c'est un choix qui a été fait bien avant leurs vies à eux. Tout cela est un choix pour une réussite. Que les circonstances de la vie, soit, amènent de tels résultats, c'est bien malheureux. Mais la question n'est pas tellement là. La question est comment faire dans le futur pour que cela ne se produise pas, pour que ces décisions soient vraiment comprises des membres, de ceux qui veulent créer une famille. La réponse est très simple : cela n'a pas été montré dans ce sens, ce n'était pas le sens que vous avez appris de la famille, ce n'était pas le sens que nous vous avions communiqué non

plus dans ce que vous aviez à apprendre
ensemble. Peu importe ce qu'auront été les
raisons pour qu'un divorce physique ait
lieu, il reste que le divorce va beaucoup
plus loin que cela. Il va au niveau des Âmes
intérieures qui le vivent aussi. Ce n'est pas
tout perdu, bien sûr ; vous pouvez vous
reprendre de façon différente.   Cela
demande beaucoup plus de force, beaucoup
plus de confiance en vous. Mais vous pouvez combler par l'empreinte de ce que la
cellule familiale a été lorsque tout allait au
mieux. Tout cela n'est que matière à compréhension.   L'idéal serait que tout fonctionne bien. Mais ce n'est pas le cas dans
votre monde actuel, ce n'est pas le cas dans
vos sociétés non plus, au niveau des
travaux, des ouvrages, des emplois.   Tout
cela est en réorganisation actuellement.
Disons que c'est le prélude à l'automne de
vos vies, une préparation à l'automne,
comme si on vous faisait vivre le pire pour
ne pas que vous le voyiez lorsque cela se
produira. Tranquillement pas vite... Mais il
reste encore une chose très importante à

comprendre : chaque individu que vous représentez a au départ la réponse. Vous avez déjà cette chance de continuité. Vous pouvez tout bousiller, même involontairement, ou volontairement. Vous pouvez aussi tout réussir sans compter sur les autres, en faisant en sorte – seulement en faisant en sorte – de saisir à quel point vous pouvez aimer vivre, peu importe ce que la vie vous fera vivre. Trouvez-en rapidement l'avantage ! Apprenez à retrouver la confiance en vous ; dialoguez avec ce personnage auquel vous serez uni un jour... Vous marier physiquement ? Le mariage devrait toujours se faire avec soi-même avant. Trop souvent, les gens s'unissent entre eux en ignorant qui ils sont eux- mêmes, croyant devenir à deux un seul être. Quelle foutaise ! Ça, c'est le mirage du mariage, ce n'est pas la réalité. Les mariages, s'ils avaient été bien préparés, devraient avoir lieu lorsque les individus qui souhaitent faire ce cheminement ensemble sont eux-mêmes à un point de maturité. Deux fruits verts ne feront pas un fruit mûr, vous savez ! Ce seront deux fruits verts. Et si l'un pourrit, l'autre pourrira, à moins que quelqu'un s'en débarrasse avant. Voyez comme tout est pareil... Alors deux fruits verts, pour le meilleur et le pire, c'est terrible. La maturité individuelle, vous assurer de qui vous êtes avant, de façon à ne pas être quelqu'un d'autre un an après... Vous comprenez cela ?

Oui.

Fort bien. Si vous admettez ce fait, vous êtes beaucoup plus forte que vous ne le croyez. *(L'élan du coeur, II, 19-05-1996)*

Vous avez parlé de cellule familiale... Lorsqu'on décide de briser cette cellule familiale, comment peut-on aider l'enfant qui est dans cette brisure ?

Il vous faut deux fois plus d'effort pour donner un lien de vie avec l'enfant puisqu'il manque un lien. Si la mère en fait autant de son côté, il manquera certainement un côté d'affection à cet enfant qui sera partagé, mais selon nos observations la plupart des enfants qui vivent un divorce... disons à l'amiable, même si nous ne voyons pas bien ce terme dans tout cela, finissent quand même par comprendre et par prendre l'affection là où ils le choisissent. Mais, comme vous le dites, cette cellule est divisée.

Lorsque l'enfant est un enfant adopté, qu'il se sent déjà rejeté par ses parents biologiques et qu'il vit une chose semblable, il doit sûrement avoir de la difficulté à se comprendre par lui-même.

Cela, c'est un fait.

Comment puis-je l'aider à trouver sa voie ?

Il y a deux choses qu'il faut que vous compreniez. D'un côté, vous ne pouvez pas lui donner ce qu'il n'a pas. De l'autre, il s'agit de lui expliquer la réalité même de la vie, de lui donner deux fois plus ce dont il a besoin,

mais de lui apprendre à donner aussi dans
ce sens. Qu'il recherche ses parents, ce sera
ainsi toute sa vie. La même chose se produit chez des enfants adoptés en bas âge.
Même à 60 ou 70 ans, ils chercheront
quand même à comprendre qui ils étaient.
Cela, c'est le côté humain de la naissance, le
lien. Mais vous pouvez le comprendre
d'une autre façon. Quand nous vous par-
lions plus tôt des liens établis entre une
mère ou un père et son enfant, n'était-ce
pas ce que nous vous disions, que le langage n'avait pas de mots ? C'est ce qui fait
que l'humain recherche son point de con-
ception ; c'est parce qu'il ne ressent pas les
mêmes vibrations autour de lui et l'Âme
non plus. C'est tout cela le langage invisi-
ble que nous voulons que vous compreniez.
C'est tout cela. Vous avez des exemples au
quotidien ; il faut les employer. Mais pour
régler un cas comme celui que vous mentionnez, il faut lui faire comprendre qu'en
fait il est déjà ses parents, que la vision
physique ne changerait rien puisqu'il est
composé d'eux et que, s'il aime suffisam-

ment, ils le sauront à distance. Et cela, c'est vrai puisque cela existe aussi dans ce sens. Vous pouvez recréer ce lien lorsque vous le percevrez chez l'enfant de façon à ce qu'il ressente au travers de vous ceux qui lui manquent. C'est ce qui fait que vous aurez alors des cas où ces enfants seront très heureux et ne chercheront jamais à comprendre autrement. Ce qui a amené ce résultat, c'est que les parents ont su s'adapter à ce que l'enfant recherchait, sans peur, sans crainte, sans rechercher. *(L'élan du coeur, III, 09–06–1996)*

J'aurais une autre question concernant les mères monoparentales. Est-ce que c'est un manque pour l'enfant s'il voit son père moins souvent ?

Cela n'existe pas, une famille monoparentale... Encore un terme pour classer les gens ou plutôt pour les déclasser. Un enfant qui est avec un des membres de sa famille... Rappelez-vous que lui-même est déjà un univers complet. Si vous commencez à leur

faire comprendre les divisions familiales,
ce ne sera pas un univers complet mais
complexé que vous aurez à vos côtés. Peu
importe qui vit avec l'enfant. Bien sûr, pour
l'équilibre psychologique de l'enfant, l'idéal
serait qu'il ait les deux. Mais si, d'un autre
côté, il perd sa mère par maladie parce
qu'elle n'est pas heureuse, ce ne sera pas
mieux. C'est la même chose dans le sens
inverse. Ce qui va compter, c'est ce que
l'enfant découvrira de l'un ou de l'autre.
Qu'il voit son père de temps à autre si cela
lui manque, très bien ; qu'il le recherche
lorsqu'il sera adulte, ce sera son problème.
Mais lorsqu'une division a lieu dans la
famille, ce n'est pas la fin du monde, vous
savez. Quand nous avons expliqué dans les
toutes premières sessions de groupe – nous
n'avons pas répété cela depuis longtemps –
que vous étiez le seul monde à faire des
contrats pour vivre ensemble et que le
mariage, d'ailleurs, ne se faisait pas ailleurs,
ce n'était pas pour rien. À cette époque,
nous avons rajouté qu'un jour viendrait où
l'enfant ne serait pas chose familiale mais

chose de la société, où la naissance sera calculée, voulue, planifiée, où ce ne sera pas la famille qui sera le soutien de l'enfant mais la société complète, de la naissance jusqu'à l'âge adulte. Cela ne veut pas dire qu'il n'y aura pas présence de la mère ou du père, mais que les enfants ne seront pas mis de côté parce qu'ils seront calculés, parce qu'ils seront voulus et parce qu'ils seront nécessaires. Actuellement, c'est le cafouillis en ce sens. Plusieurs pays qui ont des manques de nourriture n'en ont pas dans la nourriture sexuelle. Cela se voit par la multiplication des enfants qui manquent de tout, qui meurent par milliers chaque jour sans que personne ne s'en soucie réellement. Ce n'est pas du riz mais des condoms que vous devriez leur faire parvenir ! Ce serait un meilleur soutien pour le monde entier, mais cela ne jouerait pas le rôle des sociétés riches. Rappelez-vous le côté humain : le bonheur, oui, mais il faut un peu de malheur pour que tout existe. Comme cela, vous avez une raison de vivre, un soutien de société. Quand ces populations s'éveilleront, vous

vous rendrez compte, malgré tous les retards qu'ils démontrent, malgré tous les rejets que font les sociétés industrialisées pour les éloigner de cette réalité, lorsque ces populations sous-éduquées, sous-alimentées deviendront la main d'oeuvre pas chère – après les Asiatiques, l'Afrique sera ce berceau un jour, vous verrez –, lorsque cela se fera, pouvons-nous vous suggérer que les sociétés bien nanties actuelles auront à prendre exemple ? Les manques ne seront plus aux endroits mentionnés actuellement. Rappelez-vous, tout ce que vous lancerez finira par retomber ; toute projection que vous ferez comme société reviendra. C'est l'ensemble, et rien ne s'oublie. Continuez de les nourrir, c'est très bien, vous les tuez en même temps ! Mais regardez à quelle vitesse ils se re-multiplient. *(Pluie de lumières, III, 08–06–1997)*

*C*omment se fait-il qu'actuellement il y a tellement de séparation dans les couples ?

Regardez les buts que vous vous êtes fixés
dans cette vie. Revenez 50 ans en arrière,
revenez 30 ans, 20 ans en arrière tout au
plus. À ce moment-là, vous aviez un but,
celui de fonder un foyer, celui d'avoir l'ins-
tinct de mère à plein temps. C'est une
usine une famille, vous savez. Celui de
donner une part de vous, de l'amour que
vous avez à donner, de prendre en échange
l'autre partie et de faire en sorte de cons-
truire un foyer. Actuellement, où sont les
valeurs ? Vous appelez cela du 8 à 5, cette
période où les deux sont à l'extérieur. Pour
quelle raison travailler tous les deux ? Vous
n'avez plus le temps de discuter. Vous
revenez tous les deux fatigués. Lorsqu'il y
a des enfants, c'est pour subir bien souvent,
ou encore leur donner ce qui peut rester.
Qui peut vivre cela, surtout si vous avez
vécu avec une mère qui vous a donné tout
ce qu'elle avait ? Déjà vous ressentez ce qui
ne fonctionne pas mais vous continuez et,
lorsque cela dépasse les normes, que vous
ne pouvez revenir en arrière, vous vous

séparez. Ce n'est pas cela, la liberté. Les valeurs n'ont pas été placées aux bons endroits. Nous savons ce que vous pensez déjà, vous allez dire qu'il y avait des gens qui ambitionnaient sur les autres. C'est vrai. Les tâches ont été mal réparties et les valeurs surtout. C'est la faute d'une société qui voulait consommer, qui a voulu plus grand, mais qui a moins. Ce qui se passe actuellement, ce sont des confrontations entre l'amour lui-même et les valeurs qui y sont rattachées. Comme il n'y a pas beaucoup de réponses à cela, il y a beaucoup de changements dans la société et cela amène beaucoup d'agressivité. *(Arc-en-ciel, I, 09–04–1994)*

Plus vous irez loin avec vous-mêmes, au fond de vous-mêmes, plus vous serez justes avec vous-mêmes, plus vous serez vous-mêmes et plus ceux qui sont à vos côtés vous apprécieront. Ce n'est pas nous que vous tricherez, mais vous-mêmes et cela ne vous apportera rien.

Oasis

Transcontinental
IMPRESSION
IMPRIMERIE GAGNÉ